NLP教育セラピスト
桑原朱美

子どもは「親の心配」をランドセルに入れて登校しています

「指示待ちっ子」が「自分から動く子」になる親の習慣

WAVE出版

はじめに

「先生は、私が親としてダメだって言いたいんですか!?」

これは、私が養護教諭時代、自分から動けずに周りからの指示を待ち、積極性に欠けるわが子について、相談のために来室されたお母さんに言われた言葉です。

この出来事が、

「『親が変われば、子どもが変わる』ということを、どのように伝えれば、親自身が子どもに及ぼす影響について納得してもらえるのか？」

そんな疑問を持ち続けるきっかけとなりました。

その後、地区一番の教育困難校へ転勤となり、多感な中学生への対応法を得るため、脳の使用説明書「NLP（Neuro Linguistic Programing 神経言語プログラミング）」や「脳科学」を学び始めました。

その中で、衝撃を受けた理論がありました。それが、

「非言語コミュニケーションは、言語コミュニケーションの２万倍ほどの圧倒的な力で、相手との関係性に影響を及ぼす」

です。何かしらの新しい手法や技術が、人とうまくいくコツだと信じていた自分にとっては、まさに目からウロコでした。

さらに、私が学んだNLPのトレーナーは

「『あり方』は目に見えないものだからこそ最も大切で、それがあって初めて『やり方』が活きるのです」

と、何度も徹底して伝え続けてくださいました。

脳の科学に基づいたこの理論は、これまで教育の現場（学校や

家庭）で起きていた、様々な「あるある」を解明するものでした。
そして、学び始めて５年間、この理論を保健室で検証・実践することで、「親の習慣と子どもの生きづらさとの関係」「親が変われば、子どもが変わる」の本質的な意味、「何をどう変えればいいか」の答えを得ることができたのです。

退職して起業した今は、子育て講座や教員向け講座などで脳科学に基づいた子どもとの関わり方を、次の３点を中心にお伝えしています。

（１）親の無意識の習慣が、子どもに影響する仕組み
（２）大人自身の生きづらさを解消し、自分らしく生きるための方法
（３）脳科学に基づいた言葉がけの方法

講座に参加した多くのお母さんや先生方が、
「自分の状態を整えるだけで、子どもの反応が変わりました」
「『わが子を信じる』の本来の意味に気づいたら、子どもが自信を持ち始めました」
「子どもの話を丁寧に聴くとは、どういうことなのかわかりました。話を一つひとつ事柄を分けて整理してあげると、子どもが、自分で次の一歩を考え始めました」
「失敗を成長に変える言葉がけをしたら、子どもがチャレンジを始めました」
などの変化を体験していらっしゃいます。

本書では、私が2008年から12年間にわたって、全国のお母さんや先生方にお伝えしてきた脳科学に基づいた「子どもがイキイキと自分の力を発揮し、主体的に生きていくための親の習慣」について、「指示待ちの子どもをつくる親の習慣／自分で行動す

る子どもをつくる親の習慣」の対比を用いて、紹介していきます。
　また、ウィズコロナと言われるこれからの時代に、子どもたちが心身ともに健やかに成長するための具体的な思考法や行動についても触れました。

　新年度を迎え、入学や進級の時期に、読者の皆様が、日常の子育てで起きるお子さんとの関わりや、トラブルが起きたり困ってしまう場面を思い浮かべながら読んでいただけるように、たくさんの事例を用いて説明しています。
「親が変われば、子どもが変わる」とは、「あなたは間違っている。正しくあれ」ということではありません。
「親自身の生きづらさをつくり出している無意識の習慣に気づき、親自身が自然体で幸せに生きていく」の意味として使っています。
　具体的には、「思考・言葉・行動・愛情・生活・インターネット」の６つの視点から、これまで読者の方が意識してこなかった習慣についての思い込みや勘違いを明確にしました。
　それらを変えていくことによって、親も子どもも「現実は、自分が発信源である」こと、「現実は、自分次第で変えることができる」ことを感じていただきたいと思っています。
　この本を手に取った方々が、「すべて自分が発信源」であることに気づかれ、次の世代に新しい習慣のバトンを渡していただけることを願っています。

　2021年４月吉日

桑原朱美

〈目次〉

第3章

「言葉」のかけ方を変えてみましょう

子どもの良いところを見つけて、しっかり伝える

第4章
「行動」の仕方を変えてみましょう
子どものペースを考え、自分から動くまで待つ

第5章
「愛情」のかけ方を変えてみましょう
子どもを信じ、自分の価値観を押しつけない

第6章
「生活」のスタイルを変えてみましょう
子どもとの食事を大事にして、一緒に会話を楽しむ

第7章
豊かなアナログコミュニケーションが、デジタル時代を生きる力の土台となる

装丁　加藤愛子（オフィスキントン）
カバー・本文イラスト　伊藤ハムスター
企画・編集協力　遠藤励起
DTP　NOAH

第1章

25年間保健室で見てきてわかった「指示待ちっ子」を育てる母親の習慣

「母親の無意識の習慣」が、子どもの人格形成に影響を与えている！

小学校や中学校の保健室での勤務の中で、たくさんのお母さん方の悩みを聴くことがありました。
子育てに関する悩みだけでなく、子どもの友人関係、保護者同士のトラブル、教師への不満、夫婦の問題、仕事の愚痴、嫁姑問題まで、本当に様々でした。

相談の中で、ただ聴いて欲しいだけという方もいますが、多くのお母さんは、具体的な解決策を求めてこられます。
「こう言えば、子どもが言うことを聴いてくれるという言葉はありませんか？」
「もっと子どもが意欲的になるという方法があれば、教えてください」
「担任の先生に、何かをお願いするときは、どんな言い方をすれば、角が立たないでしょうか？」
「子どもの好き嫌いをなくしたいのですが、どんな方法が効果的ですか？」
「夫が家事を手伝ってくれないのですが、どうやって頼めば、気持ち良くやってくれるのでしょうか？」
「私の子育てのどこを直せば、子どもはもっと良くなるのでしょうか？」
などなど。

こうやって挙げてみても、お母さんたちは、本当に、日常の子育ての中で、様々な悩みを持ちながらも、頑張っていらっしゃることがわかります。

何かを問題だと感じたとき、子どもやその周囲への直接的な働きかけをすることは、問題を「解決」し、子どもの成長を促すために必要なことであると思います。
「解決」は、働きかけの結果のひとつであり、目の前に見えていた問題（現象）がなくなることを言います。そのために、問題に対して直接的に関わります。

たとえば、子ども同士のトラブルでは、周囲に理解を求めたり、担任のサポートで話し合いをするという働きかけで、トラブルや問題が解決するということがあります。
解決策を投じることによって、今現在起きている問題は収まります。しかし、問題を生み出すもとを変えていかなければ、見えている問題がなくなったと思っても、また別の場面や別の人と、同じようなパターンの問題が起きてしまったということにもなりかねません。

そこで、問題に直接的に働きかけると同時に、問題を生み出す「もととなるもの」を「変化」させることが重要です。それによって、同じ問題を繰り返さないような予防的な効果も生まれてきます。

「変化」は、人の内面で起きます。
具体的には、物事のとらえ方であったり、思考の癖、価値観、世の中に対する見方、自己受容感などが、それに当たると思います。内面が変化することで、問題を問題と感じなくなったり、問題そのものが起きにくくなります。

子どもの内面の形成に大きく関わっているのが、「母親の無意識の習慣」です。

子どもが生まれてから現在まで、親と関わるなかでかけられてきた言葉や考え方、行動、人との関わり方は、無意識に子どもにすり込まれます。つまり、お母さんの無意識の習慣は、子どもの内面（ネガティブな言動を引き出すもとになるもの）に強くリンクしているのです。

親自身が「無意識にやっていること」に気づき、変えていくことで（親の内側が変化すること）、子どもの行動も変わります。それは、親がダメだからということではなく、前の世代から脈々と引き継がれた連鎖のひとつだととらえています。

自分の無意識の習慣に気づき、変えていくことで子どもが変わる

私は、保護者向けの講演や講座などで、「これからの子どもが自分を受け容れ、意欲的に生きていくために何が必要か」とお話ししています。

単にこうしましょうとか、こんな言葉をかけましょうなどの具体的な方法論だけでなく、脳と言葉の関係や、親の無意識の想いが子どもに与える影響についてお伝えしています。

以前、開催していた「ママン・コーチング」という講座では、親役が子ども役の相手に、大事なことを伝える、というワークをします。場面１と場面２で、親の気持ちの状態を変えて、それによって、子どもの受け取り方や反応がどう違うのかを確かめます。

《場面１のワーク》

親役は、子どもに対し、ちゃんとわからせなければ！　正しい方向に導かなければ！　という強い思いを持って話を聴く。

《場面２のワーク》

親役は、子どもは自分で答えを持っていると信頼して話を聴く。

このワークのあと、お互いの気づきをシェアしました。

《場面１のワーク》

【子ども役】

・親役の人の「圧」が強く、反発したくなった。言われることはわかるけど、心に響かなかった。

【親役】
・「この子のために、ちゃんと教えなければ」という気持ちからか、自分の感情がどんどんエスカレートするのがわかった。子どもがわかったと言っても、自分が納得できず、追い打ちをかけた。

《場面2のワーク》
【子ども役】
・親役の人から受ける印象が変わり、自分の肩の力が抜ける感じがした。自分の考えを素直に伝えることができた。
【親役】
・子どもを信頼して話を聴く、と決めたので、落ち着いて話ができた。すると、子ども役の人が、いろいろ話し出した。相手との気持ちが通じた感覚になった。今まで学んできた言葉がけの方法が自然と言えたことに自分が一番驚いた。

このように、親の気持ちの変化で子どもの反応が変わる体験をされると、「親が変わると子どもが変わる」の意味が、親を責める言葉ではないことに気づく方が多いようです。

スキル（傾聴の方法や言葉がけ）を学んでも、それがうまく機能しないときというのは、往々にして、非言語の部分（相手をどんな存在として扱っているか）が影響しています。
スキルや方法論も大事ですが、一番大事なのは、自分の話が相手に伝わるかどうかは、「自分の心ひとつ」であることを実感し、それを実践することです。

保護者向けの講座や講演では、さらに、次のようなことを伝えています。
「あなたがついやってしまう無意識の言葉の使い方、思考、行動、愛情のかけ方は、親の世代から引き継いだものです。
無意識の習慣としてやってしまうことを、あなたの内側を整えることで、少しずつ変えていきましょう。
そして、あなたの代から、次の世代（自分の子ども）に、新しい習慣のバトンを手渡してください。私の話を聴いた方は、そのバトンを引き継ぐことができる人です。
学んだのに、またやってしまったときがあっても、それも良いと思います。何度も何度もチャレンジしてください。一人ひとりの内側の変化こそが、世界を変える第一歩です」

そして、今、この本を手に取ってくださったあなたも、そのおひとりであると思っています。

子どもが行動で見せているのは「見ないふりしてきた親の裏側」

「子どもは親の言うことは聞かないが、親がすることを真似する」という諺があります。

『一流の育て方』（ミセス・パンプキン、ムーギー・キム、ダイヤモンド社）には、社会で活躍する人や主体性のある大学生に「幼少期に受けた家庭教育において、親に最も感謝していること」についてのアンケート結果が書かれています。

その中で、最も多かった答えが「両親の言動一致」でした。たとえば勉強に関しても、親自身も学ぶ姿勢を見せていたのです。まさに、親の習慣は大きな影響力を持っていると言えるのではないでしょうか？

学習だけではなく、親が子どもに対して使っている叱責と同じ口調で、子どもが自分の弟や妹に説教をしていることも、よくあります。

「親のようにはならない！」と自分の親を嫌っているのに、子どもから「おばあちゃんにそっくり」と言われたりするのも、無意識に刷り込まれた習慣をやってしまうからです。

私が学んでいる脳科学では、次のようなことも言われます。

「親が気になる子どもの言動は、親の裏側にあるものであり、親自身がやりたかったけどやれなかったことや、受け容れきれない自分の姿である」

「子どもは、親の想いを無意識に受け取っている。そして、子どもは親を助けるために生まれてくる」

この話をすると、こんな疑問を持たれた方がいます。
「助けるために生まれてくるのであれば、子どもは、なぜ、親を困らせるようなことをするのか」
それは、「自分の行動が親の成長につながる」ことを子どもは無意識に知っているからです。
「ママは、本当はこれがやりたかったんだよね」
「ママが嫌がる僕の一面は、受け容れられないママの姿だよね」
「ママを困らせる僕の姿を通して、もう一度ママ自身を受け容れるチャンスにしてよ。ママが幸せになれるように！」

もちろん、子どもたちは意図的にやっているのではありません。しかし、親自身が「私がやりたかったけど、やってないことだ」「自分の中にも同じことがある」と気づいたことで、子どもが変わってきたことを報告する事例も数多くあります。

教育現場でも、同様に「クラスの中で苦手意識を感じる子どもは、じつはその教師の内面を映している」ことがあります。教師自身が、無意識に一番見たくないと感じている部分を子どもから見せられるので、つい反応してしまうのです。
ここが解消されないと、どんなに教育のスキルや知識があっても、子どもはまったく言うことを聞きません。
逆に、同じ子どもを担任しても「自己受容度」が大きい（自分のマイナスもプラスも認めている）教師は、嫌悪感を抱くことなく対応します。その結果、その子はまるで別人のように能力を発揮するようになります。
教育技術やスキルは、それを活用する人間が、自分の内面とどれだけ向き合っているのかでその成果は違ってくるのです。
このように、親だけでなく、教師のあり方も、子どもの人生に大きな影響を与えます。

「指示待ちっ子」にする親がやっている６つの負の習慣

本書では、親の潜在的な教育力を引き出すためのヒントを得ていただくため、「指示待ちっ子」にする親の習慣と、「自分から動く子ども」を育てる親の習慣の比較を、「思考・言葉・行動・愛情・生活・インターネット（以下ネット）」の６つの習慣に分けて説明しています。

ここでいう「習慣」とは、一般的な行動や生活習慣だけでなく、負の習慣を生み出すもとになる価値観や考え方、物事のとらえ方も含みます。

親の負の習慣をつくり出してしまうもとになる傾向として、次のようなものが挙げられます。

（１）自分に対する自信のなさを何かで補おうとする
- 優秀な子ども＝自分の価値と考える
- 正義を振りかざして攻撃的なクレームをつける
- ママ友同士でマウンティングをする

（２）まわりから見た「良い親」であろうとする
- 自分がこうしたいという想いより、世間の「親はこうあるべき」という枠に自分を押し込めてしまう
- 良い親であろうとするあまり、子どもの気持ちが見えなくなる

（３）まわりの評価が行動のベースとなっている
- 常にまわりの反応を気にして、子育てが苦しくなる

（４）自分の弱さやマイナスの部分を隠したい

・自分のマイナス面を人に知られることを怖がり、人と深くつきあえない
・できる自分でいなければという気負いから、他人になかなか心を開けない
・我が子の姿に自分のマイナス面を見てしまうので、つい感情的になってしまう

（5）目先のことにとらわれがちで、長期的な視点が持てない
・子どものトラブルなどで、自分の子が悪いのかそうでないのかにとらわれてしまう
・相手を論破することで、現状での自分の立場を守ろうとする

（6）世話を焼くことが愛情と考えている
・「愛情不足」と言われないように、至れり尽くせりで育ててしまう
・してあげることで自分の価値を見い出す

（7）子どもが失敗することを怖がる
・子どもの失敗＝自信の喪失と強く思い込み、失敗しないように先回りをしてしまう

（8）まだ起きていないことへの恐怖感を強く持っている
・「こうなったらどうしよう」という恐怖や不安を常に考えている。この恐怖感から、子どもの可能性を信じることができず、禁止語や否定語が多くなる

以上のような傾向が、日常の行動や子どもへの言葉がけ、愛情のかけ方、行動、情報とのつきあい方や人間関係に習慣として現れます。

子どもたちが、心身共に健康で、自らの人生を楽しみ、能力を発揮して生きていくためには、親自身が、その習慣を生み出す価値観や思考を振り返り、整えていくことが必要です。

「指示待ちっ子」と、「自分からやる子」は何が違うのか?

「指示待ちっ子」とは、具体的にどんな特徴があるのでしょうか？また、「自分からやる子」との違いは何でしょう？

１つの事例から考えてみたいと思います。

ある大学生が、コンビニのアルバイトをすることになり、店長からひととおりの指導を受けました。

その指導の中に「お弁当を買った人がいたら、温めるかどうかを確認する」という確認項目がありました。まじめな大学生は、指導されたとおり、お弁当を購入した客に対し、「お弁当、温めますか？」と確認していました。

しかし、ある夏の日、そのアルバイト学生は、冷やし中華を購入した客に「お弁当、温めますか」と確認したのです。客は、「馬鹿にしているのか」と激怒。

店長が、このアルバイトに「冷やし中華は、温めるはずはないだろう。それくらい、わかるだろう」と、指導すると、こんな返事が返ってきたそうです。

「マニュアルに書いてありませんし、聞いていません」

ちょっと、びっくりするような話です。少々極端な例かもしれませんが、指示待ちの人は、１から10まで、すべて言われないと、行動できない、指示されないと動けないという特徴があります。最近は、あちこちの企業でも、このような指示待ちで自ら考えない若手社員が増え、その指導や扱いに困っているという話を耳にします。

指示待ちとは、一言で言えば「言われないとやらない、言われたことしかできない」という状態ですが、子ども時代には、「大人の言うことを聞く良い子」と言われてきたケースも少なくありません。

もちろん、個人差もありますが、大まかに次のような傾向がありますので、以下に挙げておきます。

（1）困ったことがあると「どうしたらいい？」と、自分の考えは示さず、相手に答えを丸投げにする
（2）一つの作業が終わると次にやることがわからず、ぼーっとしていたり、次にやることを一つひとつ聞いてくる
（3）「自由に考えてみよう！」という状況になると、何をして良いのかわからなくなり、不安そうにする
（4）正解を求め、それをこなすことはできるが、答えのないものについて考えたり、失敗を恐れずチャレンジすることに、抵抗を示す
（5）「あなたは、どうしたいですか？」などの選択や決定をする場面で、自分で決められず、親の顔を見て、自分の意見が親の意見と合っているかどうかを確認する

では、自分からやる子はどうでしょうか？

（1）「このことについて、自分はこう考えるけどどう思いますか？」と自分の意見を交えて、アドバイスを求める
（2）やるべきことの全体像を把握しているので、次にやることを自分で考えて行うことができる
（3）正解がない課題や、自由に発想しアイディアを出す状況で意欲的に取り組むことができる

（4）正解を出すことより、試行錯誤を楽しむことができる
（5）「自分はこうしたい」を言葉にすることができる

この違いを一言で言うと、**「思考を停止している」か「思考を動かしている」か**の違いです。

日常の子育ての中では、「言われないと宿題もやらない」「朝の支度が間に合わない」などの具体的な状況の改善に目が行きがちです。その現状を変えていく方法も大切です。

しかし、それ以上に、**日々の子育ての中で、「自ら考えるという習慣をどのように育てていくのか」ということは、もっと重要なこと**です。

まずは親自身が、長年慣れ親しんできた思考や言葉、愛情などの習慣を見直していく必要があるのです。

「負の習慣」は、前の親世代から引き継いだ負の連鎖！

親の負の習慣を生み出す価値観や考え方は、自分の親から引き継がれています。自分の親の無意識の習慣が影響しているのです。

たとえば、あなたの親が、「世間体を気にする」人であれば、
「そんなことをしたら、世間から笑われます」
「いつもニコニコして、先生の言うことをよく聞きなさい」
というような言葉をかけられてきたかもしれません。

あなたの親が、「失敗に対し、過剰反応する」人であれば、
「なんで、できないの」
「こんな点を取って、お母さんは恥ずかしい」
などの言葉がけをされたのではないでしょうか。

あなたの親が、子ども同士のトラブルの際に、だれかを攻撃したり強く批判するばかりだったとしたら、あなた自身が自分の責任について学ぶ機会を奪ってしまっていたかもしれません。

あなたの親が、「心配性」だとしたら、
「忘れ物をしないように」
「失敗しないように」
などの「否定語」をたくさん投げかけ、あなたが失敗しないように先回りしていたかもしれません。

あなたの親が、「あなたの世話をすることが自分の存在価値だ

と考える」人であれば、
「ママの言うとおりにしておけば、間違いないから」
と、あなたが考えるチャンスを奪っていたかもしれません。

子どもにとって親との関係は、最初の人間関係です。その価値観や考え方、人との関わり方は、無意識に刷り込まれます。
「毒親」なる言葉も流行しましたが、「あの親だからこんな自分になったんだ」と言うことは簡単です。
しかし、それにとらわれ続けることは、心は過去に残したまま、「今」を生きている子どもを育てることになります。自分の親をひとりの人間として受け容れることで、初めて、その呪縛を解き、自分の人生を歩み始めることができます。親を嫌っているうちは、嫌った親の影を背負い続け、親がしたことと同じことを、無意識に繰り返してしまいます。

根づいてしまった無意識の習慣を変えることは、簡単なことではありません。それでも、自分がついやってしまう習慣に気づき、それを引き起こす根っこにある価値観や思い込みや思考パターンを知り、違う習慣をつくり上げることはできるのです。

私たちの無意識の行動に影響を与えているのは「愛情」

私たちの無意識の行動に強く影響を与えているもののひとつが「愛情」です。

最近は「愛着障害」などの言葉もよく聞かれます。

愛着障害とは、親などの特定の養育者との愛着形成に問題がある状態です。愛着障害については医学においても様々な定義がされています。

精神科医の岡田尊司氏は、著書『発達障害と呼ばないで』（幻冬舎新書）の中で、次のように述べ、特に幼児期における愛情の大切さを説いています。

「愛着を土台に、その後の情緒的、認知的、行動的、社会的発達が進んでいくからであり、その土台の部分が不安定だと、発達にも影響が出ることになる」

ところが、仏教では、愛着を「煩悩」のひとつとして考えています。欲望にとらわれ、そこから心が離れない煩悩を意味するそうです。心理学では、美しいこと、大切なこととして表現されているものが、仏教では「執着」のひとつとしてとらえられているのは、大変興味深いところです。

愛情への執着が悲劇を招いた例として、マリリンモンローの生涯を思い出す方もあるかもしれません。

マリリンモンローは、複雑な家庭環境に育ちました。親戚を転々とさせられ、やがて「自分は誰からも愛されない」と考えるようになります。そして、そんな想いから、セクシーな振る舞いをし、自分を愛してくれる男性を求め続けたと言われています。

しかし、根底にある「愛されるはずがない」という恐怖は、やがて彼女を自死へと追い込みます。

まさに「愛情」に執着し続けた人生ではないでしょうか？

ところで、誰もがほしがる「愛情」とは何でしょうか？

愛情という言葉を分解すると「愛」＋「情」。

「愛」とは中性（中庸）で、良いも悪いもありませんが、そこにどんな「情」が乗るかによって、愛情の質は変わります。

「情」とは感情のことです。

「自分が欲しい愛情」と、「相手にとっての愛情」の違いは、この「情（感情）」の違いにほかなりません。

感情には、「喜怒哀楽」のほかにも、「安苦恨怨恐怖嬉」などたくさんあります。たとえば、恐怖という「感情」が乗った「愛情」を子どもに伝えると、同じような愛情のかけ方が、次の世代にも連鎖します。それは、子どもをがんじがらめにする愛情や、自分の不安や心配を子どもに投げかけるような愛情のかけ方になるのかもしれません。

誰かが、その連鎖を断ち切って新しい流れをつくらない限りは、延々と受け継がれる可能性は非常に高いのです。

そして、その連鎖を断ち切ることができる人は、今を生きている「自分」しかいません。

私自身も、以前は、自分が欲しかった愛情をもらえなかったと思い込み、そこにずっと執着していました。だから、自分の子どもには、たくさんの「大好き」や愛情を伝えて育てるんだと決めていました。そして、それを実践しているつもりでした。
　しかし、その私が、娘たちから言われたのは「お母さんは、おばあちゃんにそっくりだね」という言葉でした。

　脳科学を学び始めてわかったことは、
「自分の親の育て方を嫌い、『絶対に自分はあんなふうにならない』と決めた人ほど、無意識に同じことをやってしまう」ということでした。この人生の法則を知ったことで、やっと、執着を手放すことができました。過去は過去を受け容れ、自分がどう生きるかを決定するという考え方に変わったことで、楽に生きられるようになりました。

　親自身が、自分が受けた愛情をどうとらえ、そこからどう生きようとしたのかが、やがて子どもたちの思考や行動に大きく影響するのではないかと思います。

人生の節目における「決意」が、負の習慣に影響する

子育てや夫婦関係、子どもが自立した後の親自身の人生に大きく関わってくるのは、「結婚するとき」「子どもが生まれたとき」にどんな「決意（宣言）」をしたかです。

私は、この「決意（宣言）」のことを、脳科学のワークショップで学びました。それを学んだのは、教員を退職し、起業して２年目くらいのときでした。

どうしても売り上げが上がらず、四苦八苦していました。夫の給料を当てにすることなく、教員をやめても自立していこうと思って頑張るのですが、うまくいかないのです。貯金も底をついてきていました。

そのときに、そのワークショップの講師から、
「あなたは、ご主人にどんな言葉でプロポーズされたの？」
と質問されました。

私は、その質問が、私の事業がうまくいかないことと何の関係があるのだろうと不思議に思いましたが、当時を思い出し、こう答えました。

「俺に一生ついてくるか？　と言われたので、すぐにハイと答えました」

すると、講師の先生は、こうおっしゃいました。

「それが影響してるね。夫の後ろをついて行くと宣言したのだから、いつまでたっても、ご主人より収入は増えませんよ。

その宣言をリセットして、自分は同等か、それ以上にちゃんと

事業を展開すると決め直しなさい」

そこで、**私は、「私自身が自立し、自分の事業を大きくする」と宣言しました。その後、私の事業は徐々に大きくなっていったのです。**

私の講座の受講生の中にも、家庭の中のごたごたが、プロポーズの影響だったという人が何人もいます。

・「僕が君を幸せにしてあげる！」とプロポーズされたので、「してもらう」ことが当たり前と考えるようになった。夫に要求ばかりしてしまうことで、夫との関係が悪くなった。
・「一生、僕のためにおいしい味噌汁をつくってほしい」とプロポーズされた。夫に尽くすのが当たり前となり、家事も何も手伝ってくれない関係になり、ケンカばかりするようになった。
・（女性の方から）「私があなたを支える」とプロポーズしたことで、すべての面において、世話をするようになった。夫が、精神的に成長せず、妻に甘えるばかりであり、うんざりしている。
・「結婚しよう」とシンプルにプロポーズされた。そのため「結婚すること」が目的となり、籍を入れたことで目的が達成されたので、気持ちが冷めてしまった。

プロポーズは、夫婦関係のスタートとなるので、その後の様々な場面に影響します。

「二人でどんな未来をつくるのか」をもう一度夫婦で話し合い、再設定することで、子育てをするうえでも、良い変化が現れます。

子どもに対する「決意」が、子育てや親の人生に影響する

プロポーズだけでなく、**子どもが生まれたとき、どんな「決意」をしたのかも子育てや親の人生に影響します。**

私の長女は、低体重児で生まれ、とても小さく、弱々しく、なかなか大きくなりませんでした。そんな姿を見て「この子は、私が守ってあげなきゃ」と思った記憶があります。

今、振り返るとわかりますが、喘息を患ったり、アトピーが出たり、育児休暇が終わっても、病気ばかりしていたのも、「この子は弱い子」と思っていたからだったのかもしれません。

同時に、「テストで100点取れることより、料理などがちゃんとできる子に育てよう」ということも決めていました。自分のことは自分でできる子に育てたいと思っていました。

客観的にこの２つを眺めてみると「矛盾」しています。「守ってあげなければ！」という想いと、「自分のことは自分でできる子に育てる」という想いは全く逆方向を向いています。

脳科学の学習で、「子どもは、無意識に親の意図をくみ取ってそれに合わせて生きようとする」ということを知り、「ああ、しまった！」と思いました。

このことが、長女の生きづらさや不安定さにつながったのではないかと思います。彼女は、無意識に「私は、どっちを生きればいいの？　自立していいの？　守ってくれるの？」と常に迷っていたのかもしれません。

子どもが生まれたときは、本当に純粋な想いから、いろいろなことを考えてしまいます。

私の講座でも、人生の節目における決意（宣言）の影響を取り上げることがあります。そのときに、やはり受講生さんから、様々な反応があります。例を挙げてみます。

・「この子が幸せになるためなら何でもする」と宣言していた。その宣言どおり、何でも気を利かせて世話を焼いていたが、自分のことを自分で決められない子に育ってしまった。会社でも、とても苦労をしているようで、申し訳なかったと感じている
・自分の母親から、「あなたが生まれたから、これで私は楽になるって思ったのよ」と言われたことがあり、無意識に母親を助けるために頑張らなくてはならないと思い、とても辛かった
・自分に学歴コンプレックスがあり、子どもにはしっかり勉強させて、エリートコースを歩かせたいと決めていた。中学受験をさせる際に、子どもがメンタルに不調をきたし、自分の想いを押しつけていたことに気づいて、子育てを見直した
・なぜか、女性らしい服装に抵抗があり、男性のような振る舞いをしてしまっていた。その原因が、父親が折に触れて「男の子が良かった」と言っていたことで、女性として生まれたことに罪悪感を持ってしまったことだとわかった。それに気づき、自分が女性であることを受け容れることができた

子どもの幸せを願っての決意が、子育てや自分が生きる際のパターンを作ってしまうことがあるのも、こうした宣言が原因のひとつなのかもしれません。

日々の忙しさの中、忘れてしまっていることもあると思いますが、一度思い出してみるのも良いと思います。

指示待ちっ子の親は「自分の人生」を決めていない！

子育てに必死の時期は、目の前のことに必死です。なかなか10年先、20年先を考える余裕はないかもしれません。

しかし、子どもが自立した後も、親の人生は続きます。子育ての時期は、人生の中で、ほんの20年ほどです。今後18歳が成人ということになれば、もっと短いかもしれません。

子どもが自立した後の何十年かをどう生きるのか決めておかないと、急に老いてしまったり、人生の目標をなくしてしまうことになります。

ある友人は、こんな悩みを打ち明けてくれました。建築関係の会社のパート事務員として働き、持ち前の明るさで、上司からも信頼される有能な女性です。

「最近、仕事がうまくいかないんだよね。やる気も出ない。なぜだろう？　子どもの手も離れて、自分のペースで動けるはずなのに、おかしいよね」

この話を聞いて、**「仕事を始めるときに最初に抱いた目的（初期設定）」が、職場でのいろいろなことに影響する**という話を思い出しました。

そこで、その友人に「今の仕事を始めた理由は何だったの？」と聞いてみました。すると次のような答えが返ってきました。

「子どもが小学校高学年になった頃から、将来の子どもの学費のためにと思い、働き始めた。子どもを大学まで行かせると学費もかかるので、子どもが大学を卒業するまでは、頑張って働くと決めた」

なるほど！　と思いました。

子どもが生まれたときの決意同様、仕事を始めるときに何を思って始めるかは、とても大切なことです。

この友人は、「子どもが大学を卒業するまでは頑張って働く」という決意をしていたので、お子さんが大学を卒業したとたん、その宣言は効力を失ってしまったのです。働く必要がなくなり、仕事もうまくいかなくなったのです。

子どものために頑張ると決意することは、とても素晴らしいことだと思います。ただ、それが、**「自分以外の人のため」ばかりでは、自分のために生きることができません。**

人生の目的は、子育てだけではありません。子どもを育てるのも自分の人生ですが、その後の人生も大切な自分の人生です。

先ほどの友人もそれに気づき、さっそく、これからの人生について、「今までは、子どもの学費のための仕事だった。それをリセットして、これからは、自分の人生を楽しくするために、充実した仕事をして、自分のためのお金をつくっていく」と新たな決意をしていました。

この本を手にとってくださる方の多くは、若い親御さんだと思います。

ぜひ、**自分の人生をどう生きたいのか、子育てが終わった後、どう生きていくのか、やりたいことがあるとしたら、子育て中から準備できることなどを決めておく**と、生きがいを持って生きていくことができます。

その姿こそが、子どもにとっても、「自分からやる子」が育つ大切な土台となります。

指示待ちっ子にしないためには、親が「自分の幸せを許可できる」こと

私の講座に参加されるお母さんたちの相談を聴いていると、日本の文化が女性に対して求めてきたことが、現代において、いまだに、女性を苦しめていると感じることがあります。

それは、「犠牲的、献身的で、子どもや家族のために生きることが美徳」「料理は手づくりでつくるべき」「３歳までは、母親が自分で育てるべき」「何も言わなくても察して動くのが良い女房」などの昔ながらの価値観に縛られている人がとても多いのです

私は、保護者向けの講演で、次のような話をします。
「日本のお母さんは、よくこう言います。
『私はいいんです。でも、この子には幸せになってほしい』と。
でもね、それは無理です。お母さんが、自分が満たされていないのに、子どもだけ幸せになるなんて、できないと思ってください。
大切なのは、まずは、お母さんの内面がちゃんと満たされていることです。それは、自分勝手に何してもいいということではなく、自分を押し殺して、犠牲的に生きる必要はないということです。子育ては、とても大切なことですが、それもまた、あなたの人生の一部です。子育ても含めたトータルの人生を、あなたという人間がどう生きたいのかが大事です。
飛行機に乗ると、CAさんが、非常時の説明の際に、こう話しますよね。
『お子様とご一緒の方は、まずは、お母さん自身の身の安全を確保してから、お子様の救命道具をつけてあげてください』と。

これと、同じです。お母さんが、安心安全で満たされていなければ、子どもが満たされることはありません。だから、お母さんは、自分が幸せになることを自分に許可してくださいね」

この講演の後、次のような感想をいただきました。
「母や妻である前に、ひとりの人間として生きることを無意識に諦めていた自分に気づきました。子どものために生きることが、親としての努めだと思っていました。まずは、自分がどう生きたいのかを、もう一度考えてみたいと思います」

ここでいう幸せとは、「自分で決めて自分で動き、自分の人生に責任を持って生きる」ことです。

私の講座でも、自分が幸せに生きることを許可するための様々な考え方や実践法をお伝えしています。
「未来を先に設定する」という逆算思考や、実現したい未来を「先取り体験する」というワークなどは、その代表的な考え方のひとつです。
このワークでは、10年後、20年後にどうなっていたいのかというイメージを描いていただくのですが、幸せな未来を描くことができないという方が毎回いらっしゃいます。
また、明るい未来が遠くからやってくるという体感的なワークでは、自分が設定した輝く未来が近づいてくると、体がガタガタ震え、「やめて！　来ないで！」と叫ぶ人もいます。
思わず後ずさりしたり、逃げようとする自分自身の反応に驚く人もいます。

ある受講生の方は、次のような気づきを話されました。
「自分は、今まで、ずっと世間の常識に合わせ、親の言うようにしてきた。何ひとつ、自分で決めたことはないのかもしれない。今、初めて自分の幸せを自分で決めるためのチャレンジが始まったのだと思う」

「過去のある出来事のせいで、自分には幸せになる資格はないと思ってきた。すでにそのことは手放したと思っていたが、体がこんなに反応することに驚いた」

自分で決めて生きてこなかったから悪いとか、自分はダメだということではありません。気づいたときがスタートです。

「人の為」と書いて「偽」と読みます。

自分を消したまま「誰かの為」に生きることは、偽りの人生とも言えます。そして、偽りの人生を生きるお母さんに育てられた子どもも、また、同じように誰かの人生を生きることになるかもしれません。

「嫌う」習慣が
成長と変化を妨げる！

子育てをしていると、子どものマイナスの面ばかり気になったり、学校の対応にイライラしたりすることはないでしょうか。

子どもを、もっと良い方向に変えていきたい、学校には、こんな対応をしてほしいと思いながらも、なかなか伝わらず、悶々としたり、嫌ってしまったり、怒りを感じたりしている方もいると思います。

私自身も、以前は、人との関係の中で、怒りや嫌いの感情を持って関わることがよくありました。しかし、こちらが嫌えば嫌うほど、相手には本意が伝わらず、さらにぎくしゃくしました。

あるとき、脳科学の先生に、このことを相談すると、次のように問われました。

「相手に対して、何でわかってくれないの？　とか、わからせてやる、正してやろう、自分の意見を受け容れさせようと思ってやってない？　もし、そうだとしたら、相手の変化を促すことはできないよ。なぜだかわかる？」

熱意を持っていても、伝わらないの？　わかってもらいたいと思って関わってもうまくいかないの？　どうしてだろう？　一生懸命やっても相手の成長につながらないなんて、そんなことは理解できないと感じていました。伝え方が悪いということだろうか？　などと、頭を巡らせていました。

その答えは、**「受け容れたものしか変えることができない。そ**

して、嫌ったものがあれば、そのものに自分がなってしまう」でした。

そして、このことは、人生のどの場面でも共通する法則だよと、その先生に教えていただきました。

少し、抽象的なので、もう少しわかりやすく補足します。

- 同じ言葉でも、そこに「嫌い」の感情が乗ると、相手はその言葉を受け取ることができない。耳では聞こえていても、理解できない。伝わるのは、「嫌い」という感情だけ。
- 受け容れるとは、相手を良い、悪い、正しい、間違っているというジャッジを手放した状態。否定をベースにするのではなく、相手の価値観も尊重したうえで伝えていくことで、伝えたいことの本意が伝わる。
- 「嫌い」「嫌だ」の感情を持ち続けると、いつの間にか、その相手とおなじことをしてしまうようになる。

これは、今までの経験に照らし合わせても、とても腑に落ちる内容でした。**熱意というカムフラージュの裏に、相手への嫌悪感や怒りが隠れていたこと**に気づいたからです。

こんな経験はないでしょうか？

「あの人嫌だ」と考え、意識すればするほど相手はうまくいく。

相手になんとかわからせようとして、いろいろなアクションをし続ける。ふと気づくと、いつのまにか、自分のことがうまくいかなくなっている。

私は、このような経験を幾度となく経験してきました。

その原因は、「嫌い」の感情でした。私は、「嫌う」という負の習慣を長年持っていました。相手を嫌ったうえでの行動は、プラスの成果を出しません。長年、脳科学を学び、私自身もやっとこの無意識の習慣を手放しつつあります。

脳科学では、意識を１とすると、無意識はその２万倍とも10数万倍とも言われています。無意識にどんな感情を持っているのかが、周囲との関わり方や願いの実現にも影響するのです。

「嫌い」という感情は、自分自身に相手を強く意識させます。意識したものには、自分のエネルギーが流れます。同時に、相手が持っているマイナスな面が自分の中に流れ込んできます。

それが続くと、相手はますます絶好調になり、自分はさらにうまくいかなくなります。

どんなに、正しいことを言っても、良い方向に進めようと考えても、その根底に「嫌い」があれば、それはずっと影のようにつきまといます。

何かを、本当に伝えたい、変えていこうと思うなら、まずは、「嫌ったり、否定することを手放すことから始める」必要があるのです。

これからの時代に必要なのは「主体性」を伸ばすこと

2020年からの教育改革では、抜本的な変革が行われています。新しい学習指導要領でも、これからの学力のキーワードとなっているのが**「知識・技能」「主体性」「思考力」「人間性」「判断力」「学びに向かう力」「表現力」**です。

つまり、知識の量だけでなく、自ら学ぼうとする主体性、それを生活の中でちゃんと使うための情報に対しての判断力、思考力、人間性、そしてそれを表現していくことが求められます。

幼稚園教育についても、「遊びを通じて幼児の主体性や好奇心を育てること」「学びに向かう力を形成していくこと」とされています。

こうした教育改革の背景には、「プライドは高いけど、心が折れやすい若者に手を焼いている」「知識は豊富だけれど、今ひとつ実務に活かし切れない社員」「書類の書き方を注意しただけでハラスメントだと騒ぎ立てたり、翌日から出勤しなくなる若手社員」という社会の現状もあるようです。

これからは、「認知能力」（ＩＱや点数など数値で測れるもの）だけでなく、それ以上に、**「非認知能力」（意欲や協調性や計画性など数値で測れないけれど、社会生活を送るのに大切な能力）が重要視される時代**となります。

これは、決してこれまでの知識重視の教育を否定するわけではなく、認知能力と非認知能力それぞれが相互に関係し合うことで、より効果的に子どもの能力や可能性を伸ばすものと考えられているのです。

教育改革なのだから、幼稚園や学校の先生が、授業や指導の工夫をするんでしょ？　と思われがちですが、学力に向かう意欲、チャレンジ精神、情報への判断力、人間関係力、思考力などの育成に関しては、日常の家庭での親の関わりがとても大きな影響を及ぼします。

そのときに影響するのが、**「家庭での子どもとの対話であり、意欲を引き出し、発想を豊かにするような言葉がけ、学びの意欲を高める環境づくり」**と言われています。

算数や国語、英語など、直接点数につながる学習も大切ですが、そればかりでは頭打ちになります。回り道のようでも、学習の土台となる非認知能力を育てることは、主体性、意欲、創造力、思考力、人間関係力が高まり、結果として学習にも学校生活にもプラスとなります。

主体性を育てることが、教育のこれからのキーワードのひとつになっている今、**「親自身の考え方、言葉がけ、行動、愛情のかけ方」などの習慣も大きく影響**します。

次の章からは、子どもたちが、主体的・意欲的に育ち、生きていくための親の「６つの習慣」（思考・言葉・行動・愛情・生活・インターネット）について具体的なシーンでのＯＫケースとＮＧケースを比較して紹介しました。

気になるところからお読みいただき、参考にしていただければと思います。

ワークシート1

ついやってしまう習慣をとらえ直す

ついやってしまいがちな習慣を客観的に見直すための
ワークシートです。

ステップ 1 ついやってしまうことを1つ書いてみましょう

ステップ 2 それをやることのプラス面を書いてみましょう

ステップ 3 それをやることのマイナス面を書いてみましょう

ステップ 4 「ステップ2」で書いたプラス面（マイナスの習慣によって得ているもの）を別の方法で手に入れるとしたら、どんな方法がありますか？　アイディアを書き出してみましょう

第2章

「考え方」を変えてみましょう

自分を基準に、自分も子どももダメなところを認める

指示待ちっ子が育つ親の考え方

まわりが基準

「自分の考えを言ったら、ママ友はどう思うかしら」
「うちの子ができないと、ダメな母親と思われてしまうかも」
等々、常に他人の評価を気にしていませんか？
「まわりの評価に一喜一憂し、自分の意見を持つことをあきらめたり、必要以上に高い評価を求める大人」に育てられた子どもは、とても不安定になります。

こうした子どもは「自分の気持ちよりまわりを尊重すべき」「常にまわりから評価される自分でいるべき」などと、無意識に考えてしまう傾向があります。

養護教諭時代の保健室の相談事例でも、友人からの誘いを断りきれず、試験勉強ができなかったと後悔する子、100点を取らないと親に「恥ずかしい」と言われると嘆く子、発表会の配役で不本意な役になり、悲しむ友人のために役の交代をしてあげたらまわりからほめられたが、本当はそんなことをしたくなかったと泣いている子もいました。

自分の生きる軸を他人の評価や期待に置いてしまう大人の考え方は、子どもが、自分の意思を表現する意欲や自信を奪ってしまうのです。

「周囲の評価」を気にする親は、
自信のない子を育ててしまう。

自分からやる子が育つ親の考え方
自分が基準

自分からやる子が育つ親は、「生きる軸を自分の内側に持ち、自分を基準」にしています。

なぜなら、自分を基準にすると、「自分はどうしたいのか」を常に自分に問いかけ、自分で決めて行動することにつながっていくからです。つまり、子どもに対しても「自分で決めて行動する」ことの大切さを教えられるのです。

そこで、私が講座などでお伝えしている「自分を基準に生きるための３つのステップ」をご紹介します。

ステップ 1 評価はその人の意見であり、真実ではないと考える
（このステップでは自分が感じているまわりの評価を書き出してみると良い）

ステップ 2 そのうえで、「自分はどうしたいのか」を考える

ステップ 3 「私が～をする」などの主語をつけた表現で意思決定する

ステップ3にあるように、意図的に「私が（主語）」を入れると、自分の意思で選択した宣言」となります。

「この人は自分軸で生きている方だな」と感じさせる人は、常に主語をつけて意思表示をしています。主語をつけることで、行動にパワーが乗り、同時に責任感も生まれるのです。

「私が○○をする」という主語をつけて宣言し、行動しよう。

指示待ちっ子が育つ親の考え方

マイナス面は正す

「その悪い癖を直さないと、嫌われるよ」
「そんなにだらしない子は、将来困っちゃうよ」
などの言葉を、子どもにかけてしまうことはありませんか？

子どものマイナス面を排除し、正してあげるのが躾や教育だと思っている大人は多いと思います。そして、プラス面が100%になれば、自信を持ち、日常がうまくいくと考えがちです。
その結果、マイナス面に対し、ダメ出しをしてしまうのです。

子どもは、それぞれが個性を持っています。ときに、うまくいかないこともあります。それに対し、いちいちダメ出ししていると、子どもは「自分」を受け容れることができなくなります。

養護教諭時代、「自分は何かが欠けた存在であり、こんなマイナス面を持っている自分は受け容れてもらえない」と考えている子どもは、年々増えていたように思います。
こうした子どもには、「人間関係に自信を持てない」「できない自分を隠すために、挑戦を嫌がる」などの傾向がありました。

子どものためと考えてやっていることが、逆に子どもの生きづらさをつくり出すこともあるのです。

「マイナス面を正そう」とするばかりでは、
子どもは自信をなくしてしまう。

自分からやる子が育つ親の考え方

マイナス面もOK

自分からやる子を育てる親は、「人間は様々な面を持っているのが当たり前、マイナスもＯＫ」と考えています。

長所・短所の区分をするのではなく、ひっくるめて「特徴」ととらえ、その特徴がプラスの結果をつくり出す場面を発見する視点を持っています。そして、その子が持っているどんな面も否定することはしません。子どもがうまくいかなかったときも、その特徴が活かせる場面について、子ども自身に考えさせます。

具体的には、次のような声がけをします。
「今回は、そのやり方をしたから、うまくいかなかったんだね。こんなときは、どんな自分を出せばうまくいくかな？」
「あなたが欠点だと思っている○○という一面が役に立つときってないかな？それがわかれば、もう欠点ではないね」

このような関わりを積み重ねると、子どもは自分の中の様々な面を受け容れ、選択して行動できるようになります。
そして「こんな性格だから自分はダメなんだ」と自己否定することがなくなり、「自分のこの特徴を、この場面でどう活かすのが良いのか」という思考ができるようになります。

子どもが自分の「特徴」を受け容れ、活かすための思考を育てよう。

指示待ちっ子が育つ親の考え方

子どもの周囲からの扱いを気にする

「うちの子は、先生や友だちにどのように思われているのか」を必要以上に気にしていませんか？

脳科学では、「意識を向けた部分は拡大鏡のようにクローズアップして見える」と言われています。

「先生から、できない子として扱われているのではないか」「友だちから、意地悪をされているのではないか」と思い始めると、そういう状況ばかりが目につくようになります。

すると、「あの先生は、いつもうちの子ばかりに冷たい」などの自分の解釈で考え始め、不安が増大します。

親はどうしても「周囲に対して求める視点（わが子のためにどれだけのことをしてくれているか）」で考えてしまいがちです。よって不安が高まると、ついつい子どもに「○○先生はひどいね」などと言ってしまいます。

子どもは、無意識に親の不安を感じ取り、「自分は学校で大切にされていない」と思い込んだまま、学校生活を送ってしまう可能性が高くなります。

子どもが学校生活で今ひとつうまくいかないとき、その原因のひとつが親の解釈や思い込みであることも、少なくないのです。

親が周囲に持っている「不安」は、
無意識に子どもに影響する。

自分からやる子が育つ親の考え方

子どもの自分自身の扱いに気を配る

私たちの脳は現実を正確に認識できません。そのため、その人が思い込んだように現実を見せる性質を持っています。

つまり私たちは、自分のこともまわりの人たちのことも、正しく見ることなどできません。「自分からやる子」の親は、このことを理解したうえで、子どもに接しています。

親が、わが子が周囲にどう扱われているのかを心配するのは当然のことです。しかし、相手がどう考え解釈するかは相手のことであり、コントロール不能です。

「自分からやる子」を育てる親は、コントロールできないことにとらわれることがありません。そして日々の関わりの中で、そのことを子どもにも伝えています。

「たとえば、あなたのことを誰かがダメな奴と言ったとしても、それは相手の意見であって真実ではないのよ。

大切なのは、自分が自分をどう扱っているのか。あなたの脳は、あなたが信じたとおりにあなたを動かしてしまうのよ」

私たちの脳は、自分が自分をどう扱っているかにとても敏感です。周囲が自分をどう評価しようが、最後まで捨ててはいけないのは、自分で自分の可能性を信じることなのです。

**「自分が自分をどう扱うか」が、
いかに大切かを子どもに伝えよう。**

指示待ちっ子が育つ親の考え方

被害者の立場を取ろうとする

子ども同士がトラブルを起こした際に、「○○君に言われたからやったんです。うちの子は被害者です」と正当化することが、子どもを守ることだと考えてしまうことはありませんか。

悪気はないのですが、子どもから何があったのかの話を聴く際にも、「相手がいかに悪かったか」を誘導する質問をしてしまうこともあります。

気持ちはわからないでもないですが、たとえ人から言われたことでも子ども自身がそれをする選択をした以上、そこには責任が発生します。なかには「先生の指導の仕方が悪いから、うちの子が傷ついた」とあらぬ方向に問題をすり替えてしまう方もいます。

親が子どもをかばいたい気持ちは当然だと思います。しかし、親が子どものためだからと思い込み、わが子を被害者の立場にさせることは、決して本当の愛情ではありません。

子どもを守ると言いながら、本当は「親が自分自身を守っている」のかもしれません。このような守り方が続くと、子どもは「責任を引き受け、そこから学ぶ」という体験の機会を奪われることになります。

被害者の立場やかわいそうな自分を演じることで、まわりから優しくされたり、責任を逃れる「快感」を得ると、成長した後も人生のあらゆる場面で、その方法を使おうとしてしまいます。それは、決して幸せな生き方とは言えないのではないでしょうか。

**行動の責任を逃れる体験は、
責任を引き受けることからの学びを奪う。**

自分からやる子が育つ親の考え方

客観的な立場を取り冷静に判断する

子どもがトラブルを起こした際の話の聴き方には、注意することがあります。

子どもは、嘘をついているわけではないのですが、「自分視点の話」をしてしまいます。親が子どものストーリーに入り込んで聴いてしまうと、話を客観的に聴くことができなくなります。

自分からやる子を育てる親は、子どもの感情を受け止め、次のような方法で「子どもの話の内容を客観的に整理」しています。

（1）子どもの話を、事実と解釈に分けて整理する
「それは実際に言われたこと？あなたが思ったこと？」
（2）思い込みだと考えられる内容については、理由を確認する
「そう思ったのは、具体的に何があったから？」
（3）どんな解釈によって、その行動をしたのかを再確認する
「○○の出来事があって、それを△△だと考えて、腹が立ったのね。それで、相手を叩いてしまったのね」
（4）体験を次の行動に活かす質問をする
「次に同じことがあったとき、どんな方法でやってみる？」

このような関わり方をされた子どもは、「問題を成長のチャンスに変換する思考」を学んでいきます。

**子どものトラブルを、
成長のチャンスに変換する思考を学ばせよう。**

指示待ちっ子が育つ親の考え方

未来に不安を感じさせる

「歯磨きしないと虫歯になっちゃうよ」「暗い中でゲームをやると目が悪くなるよ」「勉強しないと良い学校に入れないよ」「手洗いうがいをしないとインフルエンザになっちゃうよ」など、不安をあおるような伝え方をしていませんか？

大人の多くは、自分の親世代から「恐怖指導」で教育されてきました。「こうなったら嫌だ」の未来を描かせ、「そんな恥ずかしいことは嫌だよね」「だからやりなさい」と言われてきました。不安や恐怖を感じさせ、「これではいけない！」と思わせるのが恐怖指導です。

この伝え方をすると、子どもたちの脳に不安な未来を描き出します。具体的には「虫歯になっている自分、目が悪くなっている自分、良い学校に入れなくて嘆いている自分」です。

もちろん、恐怖指導も一定の効果はあります。

しかし、脳はストレスを感じ、しかも「やらされ感」満載で、モチベーションも長続きしません。

親の不安が強ければ強いほど、強い口調で指示するようになり、子どもは、ますます委縮してしまうことがあります。気をつけたいものです。

「不安が土台」となったしつけは モチベーションが低く、長続きしない。

自分からやる子が育つ親の考え方

未来に希望を感じさせる

「自分からやる子が育つ親」は、子どもにどんな考え方で接し、行動の意欲を高めているのでしょうか？

それは、「こうなったらいいね」という希望の未来を描かせ、その未来に行くための手段のひとつとして、より良い行動を子ども自身に選択させる考え方です。

具体的には、
「歯が健康なら、何歳になっても好きなものを食べられるね。運動をするときにも、歯を食いしばれるから、パワーが出るね」
「希望の学校に進学したら何がしたい？　その未来を話してみて。（十分話を聴いたら）その未来のために、今からできることって何だろう」
「冬も元気に過ごすために、できることを一緒に考えよう」
などの伝え方です。

大人が答えを与えるのではなく、「何ができるかな？」と問いかけることが、子どもの主体的思考力を育てます。

希望の未来を実現するためにどんな選択肢があるのかを子どもたちに考えさせると、子どもはどんどん発想を膨らませていきます。自分が考えたことを実行することで、取り組む姿勢も変わってくるのです。

ワクワクした未来から逆算し、何ができるかを考えさせよう。

指示待ちっ子が育つ親の考え方

目前の損得にとらわれ感情的になる

地域のスポーツ教室や部活動、学校の発表会などで「なぜ、うちの子は試合に出られないんですか！」「うちの子に主役をやらせてください！」と怒鳴りこんでくる方がいます。こうしたクレームに頭を抱える指導者も少なくありません。

人間の脳は、目の前の損得に執着してしまうと、視野が狭くなり、感情的になりがちです。そして、同じような考えの方の"数人"と盛り上がり、「みんな（本当は数人）がそう言っている」と考えてしまいます。これが、脳の認識ミスを引き起こします。

本意でない現実に直面した（ように見える）わが子に「何とかしてあげたい」と考えるのは親としても当然の気持ちです。

しかし、子どもは、「学校に文句言ってきて」と望んだのでしょうか？　話を聴いてほしかっただけだったのかもしれません。

そこを間違えてしまうと、「思い通りにならないときは、文句を言えばいい」「困ったときは、誰かが自分のために動いてくれるのが当たり前」の思考を育ててしまう危険性もあるのです。

以前、ある子が「お母さんに悩みを話すと、すぐにカーッとなって学校に怒鳴り込むから嫌だ」と話していたことがあります。親の暴走を子どもは意外と冷静に見ているのです。

子どもが直面した現実に、
親が必要以上に感情的になるのは危険。

自分からやる子が育つ親の考え方

5年先、10年先の影響を考えて話し合う

自分からやる子を育てている親は、まずは十分に子どもの話に耳を傾けます。

大人から見ると「辛いだろうな」と感じてしまうことも、意外と子どもは受け容れている場合もありますし、やはり「悔しい」と感じていることもあります。

ただ、自分からやる子を育てる親は、いつまでもその感情にとどまらず、視点を未来に向けてあげることができます。

「その状況の中で、あなたはどう行動するの？」

この質問は、「その状況を受け容れたうえで、自分の次の行動を生み出す」ための質問です。

あるお母さんが、レギュラー選手に選ばれなかったわが子にこの質問をしたところ「僕は、選手がベストプレーができるように、ハーフタイムのときに水分補給の係をする！」と、胸を張って伝えてくれたというお話を聞いたことがあります。

「この体験は、あなたが成長したときにどんな力になる？」

これは、「今の状況の中で、自分が選んだ行動をしたら、それはさらにどんなプラスをもたらすのか」を問う質問です。

この質問には、「いろいろな体験はすべて、その人にプラスをもたらす大切なものである」とする考え方があるのです。

子どもの体験は、
すべて「未来のチカラになる」ことを伝えよう。

指示待ちっ子が育つ親の考え方

過去にこだわる

「過去のあの出来事のせいで、うちの子はこうなった！」と、現状を過去の何かのせいにし続ける方がいます。

親が過去に執着し「わが子がうまくいかない理由を、すべてひとつの出来事に結び付けてしまう思考に陥っている」のです。

このような思考にはまると、「あのときあの人がこう言ったから」「もし、こうしてくれていたら」と変えることのできない過去の話を繰り返し、誰かを攻撃することに終始します。

辛かった感情を話すことは、ある時期にはとても重要で必要なことです。だからといって、いつまでも過去を握りしめていては、前に進むことができません。

私の講座では、辛い過去を思い出した後と、ワクワクした未来をイメージした後の体の重さの違い感じるワークをします。未来をイメージした後の方が、体が軽く感じるのです。

脳科学では、人間の意識の焦点はひとつしかないと言われています。その大切な焦点を過去に置き続けている限り、今を生き、未来をつくり出す生きる力は湧いてきません。

まずは、親自身が過去を手放し、その焦点を「ワクワクの未来」に向け、そこに向かうための「今」を生きることが必要なのです。

脳の焦点を、「過去」に置き続けると苦しい生き方になる。

自分からやる子が育つ親の考え方

未来の幸せを語り合う

自分からやる子が育つ親は、過去の出来事に対して、
「過去と他人は変えられない。変えられるのは、自分と未来だけ」と考えています。

過去の出来事を、どんなに繰り返して語っても、それを変えることは不可能です。これを理解し、過去にとらわれることなく「これからの可能性を発見し続けるために、今この瞬間を大切にする」と考えています。

心を未来に向かわせるためには、次のような質問が有効です。
「今回のことは辛かったね。これから良い方向に向かうためにどうしていこうか？」

このような思考を親自身が持ち、子どもとの関わりで実践していくことで、体験から学び、それを活かそうとする思考が身につきます。

人間は、過去でも未来でもない、今、この瞬間を生きているときに、最高のパフォーマンスを発揮します。それは、自分のエネルギーを、今すべきことに集中できるからです。
「過去はどうでも良い。今この瞬間からどうするのか」、ただこれだけなのです。

**「今この瞬間からどうするのか、
どう生きれば幸せになるのか」を考えよう。**

指示待ちっ子が育つ親の考え方

マイルールを人に押し付ける

最近、ママ友のLINEグループの中では様々なトラブルが起きていると聞きます。
「メッセージを読んだら、少なくとも10分以内に返信するのが当たり前」「ランチに誘われたら断らない」といった暗黙のルールに縛られ、ルールを破ると無視されたりするというものです。

こうした暗黙のルールは、絶対的なものであると無意識に思いがちです。しかし、そのルールの基準は、だれかのマイルールによるものにすぎません。まわりがそれに無抵抗に従っていると思われる構図があります。

親が、わが子に対し、マイルールを強要する場合も、子どもは「自分の意見が親のルールに合っているかどうか」を気にして、自分で考えることをあきらめてしまうことがあります。
なぜなら、親の言うとおりにしておけば、失望されず、「いい子ね」と言ってもらえるからです。
逆のケースで、まわりに自分のルールを押しつけてしまう子どもがいます。そのときは、その子がまわりの自信を奪っているのです。
人間は、意思を尊重されないと自信をなくしてしまいます。

親がマイルールを強要すると、子どもは思考を止め、自信をなくす。

自分からやる子が育つ親の考え方

自分と他人のルールのすり合わせができる

自分からやる子を育てている親は、「自分の当たり前は、相手の当たり前ではない」と考え、「相手の解釈や意見に耳を傾ける」ことを、当たり前にやっています。

これは、子どもであろうが大人であろうが、その基本は変わりません。子どもは未熟だと決めつけず、彼らの考えを聴くことを大切にします。

それによって「この子はこういうふうにとらえているのか」と、気づくこともあります。相手の内面を知ることが、相手の理解につながっていくのです。

そして「お母さんはこう思うけど、あなたの意見はどう？」と、子どもの考えを尊重します。

他にも「そう考えた理由を教えてくれる？」などの質問をし、相手から返ってくる言葉を少しずつ掘り下げていきます。

丁寧に質問され、その答えに対し否定されることがないと、脳は安心して様々な考えを生み出していきます。質問された子どもも、自分で自分の答えに驚くこともあります。

「相手との違いを尊重し、十分に話し合う親の関わり方」は、子どものコミュニケーション能力に大きな影響を与えます。

子どもの意思を尊重する関わり方で、
「人間関係の土台」をつくろう。

指示待ちっ子が育つ親の考え方

できない言い訳を親が探す

子どもが忘れ物をした、宿題をやらなかった、他の子よりうまくできない、等々、子育てには悩みが尽きません。

子どもは、できなかったことに対し、言い訳をすることもありますが、これは当然の反応です。しかし、なかには親が子どもに代わって言い訳をするケースも増えています。

「○○君にゲームに誘われて、うちの子は断れなかったので、宿題ができなかったんです」
「先生の説明が悪くて、うちの子はできなかったんです」
「私が起こさなかったんです。私が悪いんです」

親は「子どもが叱られるのではないか」「子どもは、ちゃんと説明できないかもしれない」など、色々な心配から先回りしたくなるのです。しかし、それは、子どもにも決してプラスにはなりません。子どもにとっては、できなかった理由を自分の言葉で説明することもひとつの大切な体験です。

親の先回りは、大切なチャレンジの機会をなくしてしまうことになります。また、できなかった（やらなかった）出来事をどう受け止めて、次に進むのかという方法を考えるチャンスも逃してしまうのです。

親が子どもの代弁をすると、そこから多くのチャンスを逃してしまう。

自分からやる子が育つ親の考え方

できる理由を発見させる

自分からやる子が育つ親は、まずは、子どもの言い訳を聴きます。そして、本人にチャレンジするという意思があることを確認したうえで、次のような質問をします。
「あなたの気持ちはわかったよ。では、どうすれば、できる？」
この質問で、子どもは、「達成するための方法」を考えます。
さらに、次のような質問で子どもの思考を引き出します。

ステップ1 先程の質問による子どものアイディアの１つひとつについて「なるほど」とうなずきながら聴く
ステップ2 いくつかアイディアが出たら、「できる理由がたくさん見つかったね。まずは、何からやる？」と質問する
ステップ3 行動が決まったら、「応援しているよ。何か手伝えることがあったら言ってね」と声をかける
ステップ4 もし、うまくいかなかったときは、行動したことを承認し、「もう一度、作戦を立て直そう。良い方法はないかな？」と質問し、思考を促す

脳は質問されることで、その答えを探し始めます。
質問を使った関わりを根気よく続けることで、子どもは思考が刺激され、自分で考え行動する意欲が高まっていきます。

「達成するためにはどうする?」と質問し、行動の意欲を引き出そう。

指示待ちっ子が育つ親の考え方

正しい親、できる親であろうとする

「まわりからダメな親と思われないようにしなくては」「良い親だと言われるように頑張らなくては」と、自分を追い立てるような思考にとらわれることはないでしょうか？

「こういう親でいるべき」という気持ちから、自分をがんじがらめにしてしまうと、子どもに対しても「こうしなさい」「ああしなさい」と口やかましくなります。これが続くと、子どもが委縮してしまうことがあります。

不安や恐怖を土台にした子どもへの関わり方をすると、「言葉」より、非言語である「不安」が伝わってしまいます。

子どもたちの多くは、無意識に親の意図に沿って生きようとします。愛されるために自分を出すことができず、必死に良い子であろうとして生き方にゆるみがなくなってしまう子もいます。

親が外からの評価に気持ちが向いてしまうと、子どもとの関わりにゆがみが生じてしまいます。
正しいとか、できるとか、そこには正解はありません。ただひとつ、あなたがお子さんのかけがえのない親であることだけが真実なのです。

親の「正しくあらねば」は、
子どもに不安として伝わってしまう。

自分からやる子が育つ親の考え方

ダメな自分も自己開示できる

自分からやる子が育つ親は、周囲に対し、ダメな自分の一面も開示することができます。

「人間は、マイナス面があって当たり前で、隠したりごまかしたりせずに行動する」「失敗しても、そこから学ぶことがあるとしたら、それも悪くない」というしなやかな考えを持っています。

あるお母さんの事例です。子どもが、学校への行き渋りや反抗的な態度が見られるようになったとき、まわりのママ友から「いじめがあるんじゃないか」「教師に問題があるんじゃないか」といろいろな助言をされたそうです。

しかし、そのお母さんは、「外側で問題が起きるときは、必ず内側の何かが表面化しているはず」と考えたそうです。

そこで、ご主人とも話し合い、「自分が職場でのイライラを家庭に持ち込んでおり、子どもが不安定になっていたのではないか」と、気づいたそうです。

その後、「私がイライラしていたのが原因でした。私が気持ちを安定させたら、子どもが元気になってきました。」と、担任に話されたことを聞きました。

このように、自分の良いも悪いも受け容れている親は、思考も柔軟なのです。

**自分の良い面も悪い面も受け容れて、
思考を柔軟にしよう。**

指示待ちっ子が育つ親の考え方

失敗すると自信をなくすと考える

子どもが失敗したり、うまくいかない様子を見るのが辛い、親の自分が恥ずかしい、と感じてしまうことってありますよね。

失敗して、傷つかないかしら？　自信をなくすのではないかしら？　と強い不安を感じてしまう方もいるかもしれません。

私は、そのように感じる方が増えた背景に、偏った自己肯定感ブームがあり、「失敗すると自己肯定感が下がる」と、考えてしまうことで起きているのではないかと思っています。

以前相談を受けた方も、失敗は良くないものと思い込まれていました。そのため、子どもの失敗リスクを極力避けるよう、先回りして、リスクを取り払うような行動をされていました。ときには、成功するためのお膳立てまでされていました。

確かに、子どもは失敗をするリスクが減り、成功体験をします。しかし、**失敗から学ぶ経験をしなかった子は、将来、親のコントロール外に出たとき、とても苦しむ**ことになります。

何ひとつ、痛い思いを克服する体験もせず、自分で試行錯誤してチャレンジした経験がないからです。成功する自分しか経験していない子は、できる自分しか受け容れられないのです。

そうなると、小さな石ころでさえつまづき、出血したとたんに、二度と動けなくなってしまう子もいるのです。

失敗回避のための先回りは、最終的に子どもを苦しめる。

自分からやる子が育つ親の考え方

試行錯誤が本当の自信をつけると考える

自分からやる子が育つ親は、「失敗を成長のきっかけにし、生きる力につなぐために親としてどう関わるか」と考えています。「失敗はいけないこと」とは考えず、失敗、成功の区別を超えて「ひとつの体験（結果）」ととらえ、「伸びしろ発見チャンス」と考えています。

その考え方を基本に、次のような関わり方をします。

ステップ 1

「今回の結果から何がわかった？」

➡「〇〇に気づいたんだね」など、肯定的な言葉をかける

ステップ 2

「次回はどんな結果をめざす？　次回のゴールを決めよう」

➡目標を設定する

ステップ 3

「そこに到達するために、どんな作戦が考えられるかな」

➡どんなに突飛なアイディアも楽しみながら聴く

ステップ 4

「最初に何から始める？　すぐできる小さなことを決めよう」

➡最初の一歩となる行動を促す

このように関わることで、子どもは、自分で考え、チャレンジしながら、本当の自信を持つようになります。

**「試行錯誤」を通して、
子ども自身で考え、チャレンジさせよう。**

指示待ちっ子が育つ親の考え方

自由とは
自分都合と考える

「海外は自由なのに日本は規則が多すぎる」「もっと自由なほうがいい」と考える方は多いと思います。確かに、日本の学校の規則には、時代に合わないものもまだまだあります。

では、規則さえなければ自由になれるのでしょうか？
ただ、自分にとってめんどうくさい、都合の悪いルールを嫌って自分都合で行動したいと考えることを、本当に「自由」と呼んで良いのか？　と考えてしまうのです。
また、個人の都合ばかりを優先することで、他人の自由と衝突してしまうことも多々あります。

昨今は、「自由は欲しいが、責任は取りたくない」と考える人が目立つようになりました。しかし、実際は、「自由が増えるほどその行動についての責任も増す」のです。

たとえば、スマホを持つのは子どもの自由と言いながら、問題が起きると、「学校で起きた事件は、学校で責任を取ってください」と言うのは典型的な例ではないかと思います。

自由と自分勝手は別のものです。自由には必ず責任が伴います。このことを親が言動一致させて伝えていく必要があります。

「自分視点での自由」を追い求めると、子どもの責任感は育たない。

自分からやる子が育つ親の考え方

自由とは
責任が伴うと教える

自分からやる子が育つ親は、「自由には責任が伴う」と考えます。そもそも自由とは、「自らを由とする」の意味があります。「由」とは「よりどころ」であり、自由とは、自分に基づいて行動することなので、外側にルールがあるかどうかは関係ないのです。

自らを基準として行動するのだから、同時に責任を引き受ける覚悟が必要です。

つまり、自由に生きるためには「自分で決めることができる」ことが大前提であり、そして、「決めたことを実行する行動力」、最後に「自分で責任を引き受ける覚悟」が必要となります。

自分からやる子が育つ親は、次のような関わりをしています。

（1）小さなことも、子どもに選択させ、決めさせる

（2）決めたことで何かが起きたとき、責任を引き受けることができるかどうか確認する（その年齢にあった範囲で）

（3）「きっとできるよ」と、チャレンジを後押しする

（4）迷っているときは、「あなたはどうしたいの？」と意思を確認する

幼児のときから、このような小さな積み重ねをしておけば、成長するにつれ、決定力、行動力、責任感が育ちます。

**自由の３つの土台
「決定力・行動力・責任感」をつくろう。**

指示待ちっ子が育つ親の考え方

人の誘いを断れない

養護教諭時代、保健室には「人からの頼みごとや誘いを断れない」という悩みが多く寄せられていました。

ある小学生は、テスト前に遊びに誘われ「テスト勉強がしたいけど、断ると仲間はずれになるから行ってしまった」と話していました。また、ある子は、自分が発した言葉で、相手の表情が変わるのが怖くて、意見を言えなくなると言っていました。

このようなとき、親であれば、「ちゃんと断りなさい」と教えることと思います。しかし、指導する親自身も、何かを決める判断基準が、相手の顔色や相手がどう思うかで考える「他人基準」になっている人は多いのです。

実際、「ママ友のランチの誘いを断れない」「LINEグループの返信をしないと機嫌を悪くする人がいてスルーできない」という親自身の悩みを耳にすることがあります。

本意ではないのに、人に合わせてしまうのは、自分を大事にできていないのです。

親が、まわりに合わせて動いている姿を子どもは見ています。これでは、子どもに「嫌なことはちゃんと断りなさい」「自分で決めなさい」と言っても、心に届かないのです。

親が他人基準であれば、子どもに
「自分で考えなさい」の声は届かない。

自分からやる子が育つ親の考え方
自分軸で判断する

自分からやる子が育つ親は、「自分軸」で判断します。「自分はどうしたいのか」を自分に問いかけます。

今日は参加しよう、今日はやめておこう、を自分で決めることができます。「その判断を相手がどう思うかは、相手の問題」であると考え、自分軸で自己決定します。

一人でいることもＯＫであり、みんなといるときもＯＫなのです。一緒にいるときは、楽しもうと決めて参加します。一人でいるときは、その時間を大切に自分の時間として使います。

一人でいても独りぼっちではないし、みんなといるからと言って迎合することもありません。

誰かの悪口が始まれば、「ちょっと用事があるから、これで抜けるね」と言って抜けることができます。

強いのではなく、「しなやか」なのです。自分のことを自分の責任で決めることができ、それを完結させることができるのです。

自分軸で生きる人は、子育てにおいても、まわりの目や体裁より、「自分が親としてどうするのか。この子はどうしたいのかを考え、決めて行動する」ことが基本となっています。

子どもは、こうした親の背中から、「自分で決めて行動することが、生きていくうえで大切なことだ」と学び取るのです。

「自分軸」で判断する親を見せることで、生きることの大切さを伝えよう。

指示待ちっ子が育つ親の考え方

孤独を嫌がり、孤独になる

中学校の養護教諭時代、子どもたちは「自分がどこかのグループに所属できているかどうか」に神経をすり減らしていました。「孤独」を怖がり、たとえ、多少の嫌がらせをされても、グループにいることを選択する子もいました。所属欲求も、度がすぎると危険すら感じます。

このような話を保護者向けの講演で紹介した後、主催者の方から、ママ友同士にも同じような状況があるとお聞きしました。一人でいると「陰気」「友だちのいない孤独な人」と思われることが嫌で、仕方なくつきあうことに悩む人もいるというのです。

「孤独は悪いこと」だととらえると、誰かと関われない自分はダメだ、人とうまくつきあえない自分はダメだ！　などと、自分にダメ出しをします。

「孤独」とは、自分から壁をつくっている状態をいいます。自分でつくったものは、自分で取り壊すことができます。それをすることなく、壁を築いたままで人とつきあおうとするのですから、ますます苦しくなってしまいます。

親が、「孤独」を嫌い、まわりに合わせたり、まわりとの関わりをめんどうくさがっていると、子どもも、自分自身を表現して生きることを諦めてしまいます。

親が人との関係に壁をつくると、
子どもも人間関係で「孤独」になる。

自分からやる子が育つ親の考え方
孤独も自分で選択する

自分からやる子の親は、必要であれば、あえて「孤独」の状態をつくります。一人で何かに没頭したいときは、積極的に「孤独」の時間を持つことができます。この「孤独」は、マイナス感情を感じることはなく、充実感すら感じています。

まわりに合わせすぎることもありません。「友だちが多いことが良いこと」「どこかのグループに所属しているべき」という幻想もありません。仲良しのママ友グループにも「今日は一人でやりたいことがあるから」の一言を伝えることができます。

一言で言うと**「自立」しているかどうか**です。自立していると、自身の考えや信念や美学を貫き、人に無理に合わせることはありません。一人でいることも皆といることも「自分」が主体となって、決めています。

自分がやりたいと思ったことをやるために、あえて一人になりますが、寂しいわけでも、人が嫌いというわけでもありません。一匹狼とも違います。それでいて、必要になればいつでも、自分から、集団の一員として、ともに行動する協調性や責任感も持ち合わせています。

このような親の姿は、子どもたちに、自然な形で主体的な生き方を教えているのではないでしょうか？

親自身が主体的に生きることで、
子どもたちに人間関係のお手本を見せよう。

ワークシート2

Iメッセージで伝える①

嫌な思いをしていたり、怒りがわき出たりした出来事を
相手にIメッセージ(P.107)で伝えるためのワークシートです。
P.100 の記入例を参考に記入してみましょう。

①どんな出来事だったか

②どんな気持ちになったか(〇をつける)
※怒りを感じた場合は、その奥にある不安または恐怖として表現する。

不安 ・ 恐怖 ・ つらい ・ 悲しい ・ がっかりする
もやもやする ・ さびしい
その他(　　　　　　　　　　　　　　)

③相手にどうしてほしかったか

④そうしてくれると自分はどうなれるのか

⑤以上のことをまとめて、Iメッセージで伝えてみよう

第3章

「言葉」のかけ方を変えてみましょう

子どもの良いところを見つけて、しっかり伝える

指示待ちっ子が育つ言葉がけ

子どもが言わなくても察してしまう

給食のとき「このおかず食べられない」と言ってくる子、保健室に「先生、けが」と、単語で来室する子がいます。

あるいは、言葉ではっきり言わず、ため息をつく、悲しそうな表情をするだけの子もいます。

このような子どもの背景には、「察して動く」大人の存在があります。子どもが「お箸がない」とだけ言えば、親はお箸を持ってきてくれます。大人は察することができるので、子供の言葉を最後まで確認することなく、動いてしまうのです。

この状況で育つと、最後まで言わなくても、困った表情一つでまわりが察して動くことが当たり前になってしまうのです。

「察して動く」ことが愛情だと考えている親は、「自分の子は言いたいことが言えないから、まわりの人間が察してほしい」と、他人にもそれを要求します。しかし、そのことが、本当に子どものためになるのかどうかを冷静に考える必要があります。

コロナ禍における人と人の間の２メートルの距離は、「自分がどうしたいのかを言葉で表現する必要性」を生み出しました。こうした状況からも、親の関わり方を考え直す必要性を感じます。

あえて「物わかりの悪い親」になり、自分の言葉で意思を表現させよう。

自分からやる子が育つ言葉がけ

必要なことを最後まで言える言葉がけをする

自分からやる子が育つ親は、物わかりの悪い大人になり、「子どもがどうしたいのかを引き出す言葉」をかけています。

学校でも、察して動く教師のクラスは、親の評価は良いのですが、子どもたちはどんどん受け身になっていきます。

たとえば「先生、筆箱がない！」と子どもが伝えてきたとします。力量のある教師は「状況はわかったよ。それで、どうする？」と、子どもがどうしたいのかの気持ちを引き出します。時間も手間もかかりますが、子どもたちは確実に成長します。

保健室では、「けが！」と言ってくる子どもには同じように、「それで、どうしたいのかな？」と、対応していました。

子どもが気づいて、言い直すことができたら

「ありがとう。上手に言えたね。先生は物わかりが悪いから、最後まで言ってくれると助かるよ。先生が勝手に判断して、違うことをやってしまうと、あなたも困るよね」と伝えていました。

翌日の連絡帳には「子どもが、『保健の先生は物わかりが悪いから、ちゃんと最後まで言ってあげないとダメなんだよ』と教えてくれました。大切なことですね」と書いてありました。ちょっとしたことを継続して子どもの力を伸ばしたいですね。

子どもの言葉の情報不足には、
「それで?」と優しく聞いてあげよう。

指示待ちっ子が育つ言葉がけ

「みんなが、いつも」をマイナスに使う

子どもたちの話の中で、「みんなが自分を嫌う」「いつもにらんでくる」などの表現を耳にすることはありませんか？

保健室でも、改めて確認すると「みんなではなく、数人」「いつもではなく、数回」であることがほとんどです。嘘をついているわけではないですが、こういう表現には注意が必要です。

「みんな、いつも、絶対〜ない、ずっと」などの表現は、脳の機能が生み出しています。脳は、「ある一部のことや数例に着目し、全体にも当てはめてしまう」性質があり、これを「一般化」と呼びます。

こうした表現を、親も子どもへの言葉がけで使ってしまうことがあります。たとえば、「そんなことをしていたら、**みんなに**嫌がられるよ」「**いつも**そうやって口答えするんだね」なども一般化の表現です。

しかも「否定的な意味」で使っています。「数人」かもしれないのに「みんな」と言われ、「限定的な状況のときだけ」かもしれないのに「いつも」と言われると、子どもは尊厳を傷つけられたと感じてしまいます。

子どもに否定的な意味で一般化を使ってしまうと、必要以上のマイナス感情を引き出してしまうので、気をつけましょう。

「マイナスの一般化」は、
マイナスの感情を必要以上に生み出す。

自分からやる子が育つ言葉がけ

具体的に表現する

子どもが一般化の表現をしているとき、どのように対応すると子どもの良い成長につながるのでしょう？

それは、「いつも」「みんなが」などの一般化の表現が出てきたら、「ちょっと、確認させてくれる？」と許可を取り、次のような確認をします。

「みんなって、具体的には誰？」「いつもって、具体的にはどんなとき？」のように「具体的には？」と聴いてあげるのです。この質問によって、子どもは少し客観的に考え始めます。

自分からやる子を育てるためには、適切な「質問」をして、自分で考えさせることがとても大切です。親がアドバイスしすぎると、子どもの思考力が育つチャンスを奪ってしまいます。

さらに、この「一般化を肯定的に使う」ことで、子どもたちにプラスの自己イメージを持たせることもできます。

具体的には、「**いつも**手伝ってくれてありがとう」「あなたがいるだけで、**いつも**ママの心は元気になるよ」「家族は、**みんな**あなたのことを宝物だと思っているよ」などの表現です。

このような言葉をかけてもらって育った子は、自分の存在そのものを肯定することができるようになります。

マイナスの一般化は具体化し、
プラスの一般化はどんどん使おう。

指示待ちっ子が育つ言葉がけ

～しないように

登校前の子どもに、「忘れ物しないようにね」と言っていませんか？　バッターボックスに立ったわが子に、「高めのボールに手を出すな！」と声をかけた経験はありませんか？

この言葉がけは、脳の習性から考えると、全くの逆効果です。人間の脳は、言葉を聴くとそれを映像化し、現実化しようとする働きがあるからです。

しかし、「忘れ物を**しない**」「高めのボールに手を**出さない**」は「否定語の言葉がけ」です。この言葉がけでは、脳の機能がうまく働きません。

否定語の表現を耳にすると、脳は、まず「忘れ物をしている自分」「高めのボールに手を出している自分」を映像化します。さらに「それを回避せよ」の命令に対応するため、映像に×をつける複雑な処理をします。

しかし、脳は「映像化したものを現実化しようとする」働きがあるため、逆の結果を出してしまうことになるのです。

否定語満載で育った子は、学校でも、常にまわりの顔色をうかがう傾向があります。してはいけないことはわかっているけど、具体的に何をしていいのかわからないので、誰かの許可なしでは自信を持って行動できなくなってしまいます。

「否定語や禁止語」で育った子は、
自分の行動に自信を失う。

自分からやる子が育つ言葉がけ

～しよう

「脳は否定語を処理できない」としたら、どんな表現をしたら良いのでしょうか？ ここで、「肯定語」と考えると変換が難しくなってしまいます。

私の講座では、次のような例を示し、「脳が何をすれば良いのかを映像化できる言葉を使いましょう」とお伝えしています。

「忘れ物しないように」→**「持ち物の確認は１つずつしようね」**
「遅刻しないように」→**「７時30分までに家を出ようね」**
「高めの球に、手を出すな」→**「球をよく見て、低めを狙え」**
「なくさないように」→**「2番目の引き出しに入れようね」**
「こぼさないように飲むのよ」→**「両手でしっかり持って飲もうね」**
「食事中に歩き回らないで」→**「食べ終わるまで座っていようね」**
「間違えないようにね」→**「深呼吸して落ち着いてやろうね」**

いかがでしょうか？　このような言葉をかけられると、具体的な行動が分かるので、脳に余分な負担をかけません。

さらに「そのためにできることは何？」「それができると、さらにどんないいことがある？」という質問につなぐことができます。脳の仕組みを理解した言葉がけは非常に有効なのです。

何をすれば良いのかがわかる表現をしよう。

指示待ちっ子が育つ言葉がけ

不幸を聴き出す

養護教諭時代の相談事例です。相談されたお母さんのお子さんは、いつもオドオドして自信がなさそうにしている子でした。

そのお母さんは、お子さんの学校の様子を知るために、毎日、こんな言葉がけをしていらっしゃいました。
「今日は学校で何か嫌なことはなかった？　いじめられなかった？　先生に叱られなかった？」
このように質問してしまうことは、脳科学的には逆効果です。

脳は質問をされると、その答えを探します。
お母さんは「何か嫌なことがあったか？」と質問したので、お子さんの脳は「嫌なこと」を１日の学校生活の中から検索します。
１日の学校生活では、決して嫌なことばかりではないと思うのですが、脳は質問の答えを見つけるために、楽しかったことは、すべて削除して、「嫌なこと」を集中して探します。
その結果、親も子どもも「やはり学校は嫌なところ」という思い込みを、より強化していきます。

子どもの脳に学校や周囲の人のマイナス面ばかりを探させてしまうと、それはたちまち子どもの意欲喪失や自己否定感、自信のなさとして現実化するのです。

「マイナス思考を生み出す質問」は、子どもの自信を失わせる。

自分からやる子が育つ言葉がけ

小さな幸せを語らせる

先ほどのお母さんには、次のような提案をしました。

・登校前には、「今日は、どんな素敵なことがあるかな？　帰ったら、どんな小さなことでもいいから素敵な発見や小さな幸せを３つ教えてね」と声をかける。
・帰宅してからは子どもが見つけた「小さな幸せ」をノートに記録しておく。

お母さんは、脳と言葉と意欲の関係についての話に納得され、すぐに実践してくださいました。お母さんの努力によって、徐々にお子さんが元気になっていく姿に担任も驚いていました。

３学期の授業参観のときにお会いしたお母さんも、別人のようになっていました。「先生。最近は、うちの子、家に友だちを連れてくるようになったんですよ」と嬉しそうでした。

私の講座でも、「言葉がどのように脳を動かすか」についてお伝えしています。子どもへの質問だけでなく、さまざまな工夫によって、子どもが元気になったという報告をいただいています。「寝る前に、布団の中で１日のラッキーを子どもと伝えあう」「毎日、子どもと小さな幸せ探しの交換日記をする」などです。

脳の仕組みを知って言葉がけを変えるだけで、大きな違いを生み出すことができます。

質問の力で、
子どもが「幸せを発見できる脳」に育てよう。

指示待ちっ子が育つ言葉がけ

「なんでなんで」と詰問する

子どもが、飲み物をこぼしたり、宿題を忘れたりしたとき、「なんでこぼすの！」「なんで宿題をやらなかったの！」と叱りつける「なんでなんで攻撃」をしていませんか？

この言葉がけは、「なぜ？」と質問しているのですが、答えると叱られます。「だって、手が滑ったから」「だって眠かったから」と理由を説明すると、「また、言い訳ばかりして！」と返ってくるのです。黙っていても、もちろん叱られます。

そして、最後は親から、「今度やったらもうジュースはなし！」とか、「罰としてしばらくゲーム禁止」と、指示をされて幕を閉じます。子どもには、釈然としない感情だけが残ります。

「なんで？」と問いただす言葉がけは、子どもの意識を、すでに終わっている「失敗」に向けさせ、「問題」をテーマとしたコミュニケーションを延々と続けます。

この言葉がけでは、子どもの「防衛的な反応」（反発や言い訳）を引き出すばかりで、次の行動のための思考を引き出すことができません。

それだけでなく、子どもは緊張で体も心も硬くなり、気持ちが前に向かず、意欲をなくしてしまいます。

「なんでなんで攻撃」は、
子どもにモヤモヤした感情を残す。

自分からやる子が育つ言葉がけ

「どうやればできるか」を質問する

では、子どもの失敗から、次の行動を引き出すにはどんな言葉がけが良いのでしょう？

まずは、**「うまくいかなかったこと＝成長のチャンス」**ととらえ直すことから始めましょう。
「失敗＝悪い」と考えると、親も不安になり、その不安から言葉を荒げてしまいます。起きたことは変えることはできませんが、その出来事の意味づけは変えることができます。そして、意味づけが変わるだけで、親の感情も変わり、言葉がけも変わります。
たとえば、宿題を忘れて先生に叱られた場合、まずは、子どもの気持ちを受け止め「宿題ができなかった理由は何だったのか、教えてくれる？」と子どもの言い分も聴いてあげましょう。そして、「今日の宿題はどうやったら今日中に終わるかな？　何かいい作戦ないかな？」と質問します。

親が期待する答えを言わせるのではなく、じっくり待ち、本人にたくさんのアイディアを出してもらい、そのチャレンジを応援します。
チャレンジしたけど、うまくいかない場合も、何度も作戦会議をします。こうした細やかで丁寧なやり取りが、思考力、行動力、判断力という学力の土台を育てていきます。

**「次はどうやったらできるかな?」と、
子どもの思考力を育てよう。**

指示待ちっ子が育つ言葉がけ

「間違ってるよ」と指摘する

テストが返ってきて点数を見たら、何と言いますか？　思ったような点数が取れてないと、「ここも、ここも間違ってる！」と、感情的になってしまうことはないでしょうか。

怒りは二次感情で、その奥には「恐怖や不安」が存在します。我が子に対する不安、周囲の評価への恐怖などがあると、それは、瞬時に怒りに変換されます。そして、その怒りが冷静さを失わせてしまいます。

脳は「欠けた部分」に注目する習性があります。意識はひとつのことしかとらえられないので、できていない部分を見ているときは、できていることは同時に認識できません。

そして、「ここができていない、ここがダメだ」と言われた子は、自分がダメな子なんだと感じるようになります。

私の講座では、被験者役が会場内に隠した本を探す実験をします。他の人は、被験者が隠し場所から遠くなると、「違う！」「ダメダメ！」と声をかけます。

すると、被検者は緊張し、なかなか発見できません。**否定の言葉がけは不要な緊張を生み出し意欲を削いでしまうのです。**

子どもは「できていないこと」ばかり指摘されると意欲を失ってしまう。

自分からやる子が育つ言葉がけ

「それ、伸びしろだね」と喜ぶ

では、テストの点数が悪かったとき、どんな言葉をかけると意欲を引き出すことができるのでしょう？

テストの点数はひとつの結果です。その**結果で一喜一憂するパターンを手放すことが必要**です。点数は人の優劣ではなく、理解できている箇所とできていない箇所を知るためのものです。

自分からやる子を育てている親は、そこをちゃんと理解して次のような言葉をかけます。
「今日のテストで、理解できていない部分がわかったね。この部分があなたの伸びしろだよ」と、これからの可能性に変換して伝えています。
そして、さらにこう続けます。「この伸びしろをどうすればもっと伸ばしていけるかの作戦会議をしよう」と、子ども自身の思考を促します。親の「こうしなさい」を手放し、じっくりと丁寧な関わり方をします。

その積み重ねによって、子ども自身も、**「結果を自分の成長につなげるためにどうするか」といった考え方を持つ**ようになります。この差は、やがて生きる力の差となって現れるのです。

「伸びしろ」を見つけ、
それを伸ばす方法を子どもと一緒に考えよう。

指示待ちっ子が育つ言葉がけ

攻撃的な表現を使う

養護教諭時代、コミュニケーションの授業で、要求のための表現方法を学ぶ授業を行っていました。

・「非主張型」は、言いたいことをうまく伝えられない
・「攻撃型」は、相手の気持ちを考えず、自分の言いたいことだけを伝え、強引に言うことを聞かせようとする
・「中立型」は、相手も尊重しながら自分の言いたいことを率直に伝える

家庭でも「攻撃型」の言葉で、攻撃的で強引に相手に自分の意見に従わせようとする関わりが見られることがあります。

親が攻撃的で子どもに有無を言わせなかったり、思い通りに子どもを動かそうとすると、子どもはだんだん、何を言っても無駄だと諦めるようになります。

その反動で、学校で周囲を威圧的に思い通りにしようとする行動をする子もいます。逆に、家と同様に、自分を表現することを諦め、おどおどしてしまう子もいます。

厳しく育てるとは、大声で怒鳴ったり、叱りつけることではありません。親の関わり方は、子どもの外での人間関係のあり方に大きな影響を与えてしまいます。

親のコミュニケーションパターンは、子どもの人間関係に影響する。

自分からやる子が育つ言葉がけ

健全な主張のための言葉を使う

私の講座では、**「中立型（アサーション＝健全な自己主張）」**の大切さをお話ししています。アメリカの心理学者、ゴードン・バウアーによる**「DESC法：Describe（描写）・Explain（説明）・Specify（提案）・Choose（選択）」**を使って、次のような例を挙げて伝えています。

・場面：大事な電話をしているのに、子どもたちが大きな声で話している
・D（具体的事実を描写する）今大切な電話をしているの。でも、あなたたちが大きな声で話しているので
・E（気持ちを伝える）相手の声が聞き取りにくくて困っているの。大事な用件を聴き逃してしまわないかと心配だから
・S（提案する）悪いけど、少しの間、静かにしてもらってもいいかしら？
・C（代案を示す）隣の部屋なら、大きな声で話しても大丈夫よ

中立型の表現ができる親は、何かを主張するときも、断るときも率直に表現します。普段から、こうした言葉がけに接している子どもは、自然に、親と同じようなコミュニケーションをするようになります。

「自分も相手も尊重する」
関わり方を子どもに見せよう。

指示待ちっ子が育つ言葉がけ

あなたは〜な子だ

子どもを叱るときに、「おまえは、わがままな子だ」と言ってしまうことはありませんか？

「あなたは〜である」という言い方は、「レッテルを貼る」表現で、脳科学では、心身や能力発揮に強烈な打撃を与えるとされています。

その理由は、「わがままな子」「だらしない子」などのレッテルが、子どもの自己イメージとなってしまうからです。そして、脳は、自己イメージどおりの人間になろうとし、自己イメージどおりの考え方や行動をしてしまうからです。

わがままな面は、誰でも持っています。しかし、その一面や行動傾向だけをとらえて、「わがままな子」と決めつけてしまうことは、とても危険です。

人間は、100%良い子もいないし、100%悪い子もいないのです。必ず真逆の性質を持っているのが当たり前です。わがままな面があるならば、その真逆の一面もあるのです。

ひとつの行動を見て、安易にレッテルを貼ってしまうことは、他のたくさんの可能性をつぶしてしまうことになるのです。

「安易なマイナスのレッテル」を貼ると、
他の多くの可能性をつぶす。

自分からやる子が育つ言葉がけ

その行動をやめようね

レッテルを貼ることの影響がわかると、言葉がけは全く変わってきます。

NLPの理論のひとつ「ニューロロジカルレベル」は、人間の意識を「①人格」「②価値観・信念」「③能力」「④行動」「⑤環境」に分けています。

叱るときは「行動」を叱ります。「人格」と「価値観・信念」は大切に扱うところですので、「どんな考え（理由）でその行動をしたのか」を丁寧に聴きます。そして、その答えに対し、否定はせず、「そう思ったんだね」と受け止めます。

続いて、ゆっくりと次のような言葉がけをします。
「その理由から、あなたはどんな行動をしたかな」
「そうしたらどうなったかな」
「今回のやり方が良い結果にならないのなら、ちょっとやり方を変えてみるのはどう？」
「（了解が得られたら）どんな行動に変えたらいいか一緒に考えてみよう」

大切なのは、「子ども自身が、自分で考えることができる関わり方」をすることです。説教より、自分の内側から起きた気づきこそが、子どもの意識も行動も変えていくのです。

レッテルを手放し、
子どもの意見を尊重して言葉がけをしよう。

指示待ちっ子が育つ言葉がけ

病名と子どもを同一化する

保健室で「先生、私は喘息なんだよ」「僕はアトピーなんだ」と表現する子がとても気になっていました。そして、お子さんのことで相談に来られるお母さん達も、「うちの子は喘息です」とおっしゃるのです。

喘息もアトピーも病名であって、その子そのものではないのですが、たとえば「私は喘息」「あなたは喘息」と表現すると、脳の認識は「その人が喘息さん」となります。脳がそのように認識すると、病気がなかなか改善しないのです。

本来は、自分の中の一部にすぎないものを「私は＋病名」「あなたは＋病名」のような同一化した表現をすることで、脳が「自分＝病名（病名そのもの）」と勘違いをしてしまうのです。

日本では古来より「言葉は言霊」「病は気から」と言われてきました。言葉には不思議な力があり、発した言葉どおりの結果を現す力があるとされてきました。

昔の人が生きる知恵として受け継いできたものは、脳科学の視点から解明されようとしています。無用な同一化は、無意識に子どもたちの心と体に影響を与えているのです。

病気と自分を同一化させる表現は、心身の状態に影響する。

病名と子どもを分離する

自分と病気を分ける表現を以下に示します。

「私（あなた）は、喘息です」→**「私（あなた）は、喘息がある／ときどき、喘息の症状が出る」**
「僕（あなた）はアトピーです」→**「僕（あなた）は、アトピーの症状がある」**

いかがでしょうか？　簡単ですよね。「自分と病名を分離させる」ことで、自分自身と病気を分離させ、自分の中の一部として扱うことができます。それによって治療の効果も期待できます。

たとえば、けがをしてかさぶたができたとき、「かさぶたができた」と言います。「僕はかさぶたです」とは言いません。当たり前と思うかもしれないですが、同じことなのです。
生きる主体である自分が病名と同一化してしまっては、病気を扱うことができなくなってしまいます。

親が無意識に使っている言葉の影響力を知り、適切な表現に変えていくことはとても大切なことです。その言葉を耳にして育った子は、自然と自分を元気にする言葉を使うようになるのです。

生きる主体である自分と病名は、はっきり分離する。

指示待ちっ子が育つ言葉がけ
カラナイ言葉

保護者のクレームで「**カラナイ言葉**」をよく聞きます。
「先生の叱り方が悪い**カラ**、うちの子は学校に行け**ナイ**」
「コーチの指導が下手だ**カラ**、チームがまとまら**ナイ**」

つまり、カラナイ言葉とは、「〜だカラ、できナイ」などの表現のことです。もちろん人によっては過酷な状況にある方もいるので、ある時期にはそのような言葉が出ることもあると思います。しかし、親が使う言葉は、子どもには大きな影響を与えてしまいます。

松下幸之助氏（現パナソニック創業者）の有名な話があります。成功の理由を記者から聞かれ「自分を出世させたのは、家が貧乏だったこと、学校へ行ってないこと、病気だったこと」と答えたというのです。

もし、松下さんが、「貧しかったカラ仕方ナイ」「病弱だカラできナイ」「学歴が低いカラわからナイ」と、カラナイ言葉を使っていたら、成功することはなかったでしょう。
親が「カラナイ言葉」を使って、やらない言い訳をしているせいで、子どももチャレンジする気持ちが育たなくなってしまうとしたら、もったいないですね。

「カラナイ言葉」は、
やらないための言い訳をたくさんつくってしまう。

自分からやる子が育つ言葉がけ

カラコソ言葉

　では、松下幸之助さんは、どんな言葉でハンディを乗り越えたのでしょうか。それは、「カラナイ言葉」ではなく、「**カラコソ言葉**」を使ったからです。

　松下さんは次のような「カラコソ言葉」を使っていました。
「貧しかったカラコソ、心から豊かになりたいと思ったし、世の中から貧乏をなくしたいと思った」
「病弱だったカラコソ、人を信じて人に任せる事ができた」
「小学校もろくに出ていなかったカラコソ、人の言う事に素直に耳を傾ける事ができた」
　彼にとってハンディとは宝でした。物事の捉え方や言葉の表現は、脳の動きを変え、人の生き方を変えます。

　この「カラコソ言葉」は、まわりから「プラスのカラコソ」を引き出し、自分に戻ってきます。
「あなたがいたカラコソ頑張れた」
「あなたの協力があったカラコソ成功できた」
「あなたに出会ったカラコソ救われた」
　私が出会ってきた、逞しく生きるお母さんたちは、まさに「カラコソ言葉」を使っていらっしゃるのです。

「カラコソ言葉」で、まずは大人が元気に生きよう。

指示待ちっ子が育つ言葉がけ

言葉をかたまりのまま投げる

保護者向けの講演をすると、「子どもの朝の身支度」について悩んでいるというお母さんのご質問を受けることがあります。まわりのお母さんも、うんうんと頷いていらっしゃるので、多くのお母さんの悩みなのだと思います。

子どもが朝の支度でもたもたしていると、遅刻してしまうのではないかと、親としてはヒヤヒヤしてしまいます。我慢して待っていたお母さんも、思わず大きな声を出してしまいます。

「さっさとやりなさい」「すぐに動きなさい」「ほら、これをここにいれて！　ぼやっとしない！」「だから、前の日にやっておきなさいって言ったじゃないの！」

「子育てあるある」の光景ですね。

子どもは、どうして動けないのでしょうか？

小学生くらいだと、**時間の概念も不十分な子どもも多く**、30分でどれくらいの時間がかかるかという予想ができませんし、手順がわからないということもあります。

また、**親からの言葉に具体性がなく、大きなかたまりのまま投げられる**ので、具体的にどうすれば良いのかわからないのかもしれません。

焦る気持ちから、指示ばかりしていると、言われないとできない、手伝ってもらわないとできない子に育ってしまいます。

**具体性に欠ける言葉で指示していると、
言われないとやれない子どもに育つ。**

自分からやる子が育つ言葉がけ

言葉をくだいて見える化する

自分からやる子が育つ親は、**「言葉をくだいて、具体的にし、さらに見える化する」**ことを心がけています。以下に例を示します。

例：「7時30分の通学班の集合時刻に間に合うために」

（1）画用紙を横にして使う。右上に7時30分に玄関を出る自分の表情イラストを、左下に、朝起きたときの表情イラストを描き、2つのイラストを線で結ぶ

（2）親「行ってきますの前にしていることは？」子「手提げ袋を持って、靴を履く」このとき子どもが答えた行動を付箋に書いて、右上から左下の「起床」に向かって順番に画用紙に貼る

（3）親「いいね！　では、その前は？」子「トイレに入る」

（4）親「では、その前は？」子「着替える」

（5）親「その前は？」子「朝ご飯を食べる」

（6）「起床」のところまで到達したら、付箋を貼った画用紙を親子で見ながら、「朝起きてからやることが見えたね。いつも、どこで時間がかかるのかな」などの質問をする。子どもの意見を聞き、それをクリアするための作戦を考えてもらう

（7）子どもの作戦が決まったら「まずは、それにチャレンジしてみよう」と声をかける。うまくいかない場合は、再び、作戦会議をする

子どもの行動を「見える化」し、そこから一緒に考えよう。

ワークシート2の記入例

Iメッセージで伝える①

嫌な思いをしていたり、怒りがわき出たりした出来事を
相手にIメッセージ(P.107)で伝えるためのワークシートです。

①どんな出来事だったか

夫が、休みの日でも、ごろごろして、
家事を手伝ってくれない

②どんな気持ちになったか（○をつける）

※怒りを感じた場合は、その奥にある不安または恐怖として表現する。

不安 ・ 恐怖 ・ つらい ・ (悲しい) ・ がっかりする
もやもやする ・ (さびしい)
その他（ ）

③相手にどうしてほしかったか

手伝って欲しかった。
自分の様子を見て、声をかけて欲しかった。

④そうしてくれると自分はどうなれるのか

肩の力が抜ける、わかってもらえたと感じる、うれしい、
また頑張ろうという気持ちになる、
報われた気持ちになる。

⑤以上のことをまとめて、Iメッセージで伝えてみよう

あなたが、休みの日にごろごろしていると、私は、とてもかなしくて、寂しいの。
だから、あなたが手伝ってくれたり、「ありがとう」ってひとこと言ってくれると、報われた気持ちになるし、明日からもまた頑張ろうという気持ちになるんだ。
だから、◎◎と○○を手伝ってもらえるかな？　それが終わったら、またゆっくりして。あなたも毎日の仕事、頑張ってるものね。

第4章

「行動」の仕方を変えてみましょう

子どものペースを考え、自分から動くまで待つ

指示待ちっ子が育つ親の行動

授業参観でおしゃべりする

授業参観で、ママ友同士のおしゃべりに夢中になる人がいます。子どもは、一生懸命授業を受けようとしているのに、親がおしゃべりをして、子どもが頑張る姿を見ることがないのです。

教師の中には「子ども達は授業に集中しています。どうぞ、静かに見守ってあげてください」と注意する方もいます。この言葉で、多くのお母さんが、静かにしてくださいます。

参観中、やたらと話しかけてくるママ友に困惑している方はホッとされますが、反面「何！？　あの先生」と悪口を言う方もいるのは残念です。

普段は「授業に集中しなさい」と言っている親が、その授業を見ながらおしゃべりばかりしているとしたら、子どもは、「お母さん。言っていることとやっていることが違うじゃないか」と感じても仕方ないように思います。

授業参観は、ママ友とのおしゃべりの場ではありません。

少々厳しい言い方ですが、親が子どもの授業に集中できないのですから、子どもだって、授業に集中できなくて当然です。

親の行動は、知らず知らずのうちに、子どもの学習態度にも影響してしまうので、お互いに気を付けておきたいものです。

授業参観では、
それを見る親の態度も子どもの学習意欲に影響する。

授業参観には
目的を持って参加する

授業参観を、子どもの成長に活かすために、親はどのような行動をする必要があるのでしょうか？

まずは、目的を持って、参加することです。

久々に会うママ友とおしゃべりに花が咲いたり、話しかけてくるママ友を断り切れないのは、目的をしっかりと決めていないからかもしれません。

私は、授業参観の目的を、「子どもが成長した点や伸びしろを見つけること」であると考えています。そこで、保護者向け講演では、次の４つのポイントを提案しています。

（1）前回の授業参観のときから、前進している点はどこか
（2）努力しようとしていると思える点はどこか
（3）家庭では見ることができない学校での姿は何か
（4）子どもの姿から、自分が学んだ点は何か

子どもが帰宅したら、以上の４つの視点から、気づいたことをぜひ、伝えてあげてください。人間は、自分の成長はなかなか気づかないことが多いのですが、まわりが具体的に伝えていくことで、子どもは自分の成長を受け取ることができます。

授業参観では、子どもが成長した点を発見しよう。

指示待ちっ子が育つ親の行動

子どもの話を信じようとする

「僕がせっかく掃除して集めた落ち葉を、C君がぐちゃぐちゃに踏みつけた。なのに、謝らずに行ってしまった。前にも、わざとぶつかって意地悪されたことがある。本当に腹が立つ！」

子どもがこんな話をすると、親は驚いてしまいます。

子どもは、学校で起きたことをいろいろ話します。子どもの話を聴くのは、とても大切なことです。しかし、子どもの話には、自分の視点で解釈したストーリーも含まれています。嘘をついているのではなく、事実と解釈が入り混じっているのです。

このことを理解していないと、子どもの話を「事実」として信じ、親も不安や怒りの感情が湧いてきてしまうことがあります。

その結果、親が感情的になり、相手の家に乗り込んだり、学校に激しく苦情を言ったりすることになるかもしれません。

子どもを信じるとは、子どもの「言っていること」を信じることではありません。話のストーリーに反応して行動すると、子どもも親も怒りの感情やストレスで疲れてしまいます。

親が反応的に行動してしまうと、子どももだんだんそんな親の姿を嫌がるようになり、話をしてくれなくなることもあります。それでは、本末転倒ですよね。

子どもの話に反応的になりすぎると、子どものほうが引いてしまう。

自分からやる子が育つ親の行動

事実と解釈を聴き取る

子どもは、出来事の解釈の仕方によっては、自分を「被害者」として話すことがあります。子どもの話を聴くときに大切なのは、「それは、事実か解釈か」の視点を持つことです。

先ほどの事例では、事実は「自分が集めた落ち葉を、C君が踏んで再び散らばった」という点です。しかし、この事実を「わざとやった」と話しているのは、その子の「解釈」です。それによって、悔しい気持ちになっているのです。

このお母さんは、第三者の客観的な関わりの必要性を感じ、担任に事実とお互いの解釈についての確認をお願いしました。

その結果、次のようなことが分かりました。

・C君は飼育委員会でウサギの世話をするために、急いで小屋に向かっていた
・落ち葉の山があったことはまったく気づかなかった

事実の確認によって、お互いに誤解を認め合い、C君が謝罪し、わかり合えたそうです。

子どもたちは、様々な体験を通して成長していきます。その可能性を信じた上で行動することが一番の愛情なのです。信頼された子どもは、必ず大きく成長していきます。

事実と解釈を分ける聴き方で、子どものより良い行動につなげよう。

指示待ちっ子が育つ親の行動

教師の悪口を言う

「あの担任の先生ダメだね」「あの先生、指導力不足ね」など、教師の悪口を子どもの前で言ってしまうことはありませんか？

もちろん、言われても仕方ないような教師もいるのも確かですが、子どもの前で言うのは、あまり良いこととは言えません。

学齢期の子どもは、親の言葉をすべて真実としてとらえる傾向があります。親が持つ教師への不信感を無意識に共有して、学校生活を過ごすことになります。不信感を持っているのですから、子どもは教師の指導も聞かなくなってしまう可能性があります。

私は、仕事の打ち合わせなどで、喫茶店やレストランに行くと、近くの席にいるママ友同士の会話が耳に入ってきます。

内容は、聞いていて唖然とするようなことばかりです。学校や先生の悪口、他のママ友の悪口、姑の悪口です。

ときにはそれもありでしょうが、子どもは、悪口ばかり言う親の姿から、同じような「否定的思考」を身につけていきます。

誰かの悪口や批判ばかりの話題のときは、少し距離を置いてみませんか？　子どもは、親が人の悪口を言う姿は見ていなくても、どこかで影響を受けています。

人の悪口ばかり言っていると、
子どもが「否定的思考」になる。

自分からやる子が育つ親の行動

教師の行動の意図を話し合う

教師も人間です。ときには納得できないこともあります。場合によっては、子どものほうから「あの先生、こういうところが嫌だ」と不満を聞かされることがあるかもしれません。

そのような場合は、ぜひ子どもと、その先生の「行動の意図」を話し合ってみてください。
「先生は、どうしてそういう言い方をしたと思う？　何か考えがあったのかな」などと問いかけ、子どもはどう解釈しているのかを聞いてあげましょう。

そのうえで、必要であれば、子どもの口から先生に伝える方法を教えてあげてください。
「先生、私は、先生が〇〇という言い方をされると辛いです」
「私は〇〇のとき、先生が～をするのを見ると怖いです。」
などの言い方です。

学校に何かしらの申し入れなどをされるときも同じです。
「先生の〇〇の指導について、私はこのように感じるのですが、何か先生なりの意図があれば教えてください」と、「私」を主語にして表現する言い方「Iメッセージ」で伝えます。こうすることで感情的にならず、相手も自分の考えを言いやすくなります。

相手の言い分も大切にし、
「Iメッセージ」で伝えよう。

指示待ちっ子が育つ親の行動

攻撃的なクレームをつける

一部の保護者の中には、攻撃的なクレームを言う方がいます。もちろん、学校側に非がある場合は、怒りが出て当然です。

しかし、本来の目的を忘れ、相手を論破したり、攻撃することが目的になってしまうと、建設的な話し合いができなくなります。

クレームには、何かを改善してほしいなどの目的があるはずです。しかし、攻撃的なクレームに終始する人は、それを忘れ、感情に任せて相手を批判したり攻撃を続けます。しかし、このやり方では、相手の自己防衛を引きだすだけで、実りある結果を得ることができません。

学校としても、うるさい親、モンスターペアレンツだから、仕方なく聞いておこうとなってしまうこともあります。果たして、それは、本当に子どもにとってプラスになるのかを冷静に考える必要があります。

親が攻撃的なクレームで、自分の要求を通していく姿を見て、子どもは何を学ぶのでしょう？　自分の気に入らないことがあれば、相手を攻撃すれば良いのだと学んだとしたら、とても悲しいことだと思うのです。

**攻撃的なクレームは、
マイナスの効果しか生み出さない。**

自分からやる子が育つ親の行動

共通の目的を見出す

自分からやる子が育つ親は、建設的な話し合いをするために、どんなことに気を付けているのでしょうか？

まず、家庭の役割と学校の役割の違いを理解していることが挙げられます。家庭は自分の子どもに焦点を当て、我が家視点で教育をします。一方、学校は集団の中で子どもの教育をします。

同じ教育でも、家庭と学校では具体的な役割が違うので、自分の言い分ばかり言い合っても、話が先に進みません。「私の言い分を聞いてほしい」「こちらの言い分を受け容れろ」のやり取りになり、話し合いが決裂してしまいます。

しかし、話し合いの最初に「共通目的」を持っておくと、具体的なアイディアが出しやすくなります。たとえば「子どもが安心して、学習できる」という目的を共有すれば、学校がやること、家庭がやることは何かという具体的な話し合いができます。

お互いのやり方に納得がいかないことがあっても、「目的」に立ち戻り、もう一度話し合うことができます。

大人同士が、目的を持った建設的な話し合いをする姿は、子どもたちの考え方にもプラスの影響をもたらすと考えています。

**「共通の目的」を見出し、
建設的な話し合いをしよう。**

指示待ちっ子が育つ親の行動
親が代弁する

ある病院の先生から、「医者は、子ども本人から症状を聞きたいのに、親が全部話してしまう」と聴いたことがあります。

また、学校の三者面談でも、担任教師が子どもに「君の意見はどうなの？」と聴いているのに、横から母親が「いいわよね？お母さんと同じ意見よね？」と遮ってしまって、本音が聞けず困ってしまう事例も少なくありません。

子どものペースがゆっくりでなかなか言葉にできないと、親が待ちきれず、代弁してしまうことがあります。日常の様々な場面で、親が先回りして代弁してしまうと、子どもは「言えない自分」を強化し、それに対して劣等感を持つことがあります。

子どもの中には、感じていることを言語化するのに非常に時間がかかるタイプの子がいます。この特性を知らず、しびれを切らした母親が先走ることは日常でもよく起きています。

このようなケースでは母親は明るくてよくしゃべる快活な方が多いので、余計に待ちきれないのでしょう。

考えていることをなかなか言葉にできない子どもには、日常の会話の中でも、言葉にできるまでじっくりと待ってあげることが必要です。これが不足すると、自分のコミュニケーションに自信をなくしてしまうことがあります。

日常の会話の中でも、
言葉にできるまでじっくりと待ってあげよう。

自分からやる子が育つ親の行動

子どもが自分から話すのを待つ

人間が何かを伝えようとするときに、五感から情報を入力して脳で処理し、アウトプット（言語化）されます。

この入力方法や処理の違いは、思考や話すスピードの違いとして現れます。大まかには次の３つに分かれます。

・映像を見ているかのように、早口で次々と話題を変えながら話をするタイプ（視覚優位）
・理論的に、整理して淡々と話をするタイプ（聴覚優位）
・ゆっくりで感覚的な言葉で話をするタイプ（体感覚優位）

言葉にするのに時間がかかる子どもは、体感覚優位であることが多いようです。体感覚優位の子は、まず、感覚で受け取ってからそれを言葉にするので、視覚優位や聴覚優位のお子さんと比べて時間がかかるのです。親子でも、タイプの違いがあることを知らないとお互い苦しくなります。

私の講座では、「子どもの呼吸を観察し、自分の呼吸を合わせる」方法をお伝えしています。こうすると、子どもの思考ペースに自然と合わせることができ、子どもが話し始めるまで待つことができます。たとえ時間がかかっても、子どもが自分の言葉で表現できたときは、大いにほめてあげていただきたいと思います。

「呼吸合わせ」をして、子どものペースを尊重しよう。

指示待ちっ子が育つ親の行動

頼まれてもいないのに動き出す

知り合いの方から「『うちの子のクラスの今日の宿題が何だったのか教えて』と、ママ友のLINEグループに投稿があり驚いた」との話を聞きました。

お子さんが、連絡帳に宿題を書き忘れて宿題ができないと言っているらしいのです。慌てたお母さんが、LINEグループで他のお母さんにヘルプを求めたのだそうです。

宿題ができないとなると、親としては慌ててしまいます。「先生に叱られるのでは?」「恥をかくのでは?」と不安になります。

しかし、少しだけ冷静になって考えると、これは子どもにとっては、大切な「成長のチャンス」なのです。

親が慌ててしまうと、子どもにそれを考えさせることもなく、先走って色々な行動をしてしまいます。

親が、ママ友のLINEグループに答えを求める、先生や子どもの友だちに電話するなど、本来は本人が責任を引き受けてどうするかを決めるべきことを先回りしてしまうのです。

頼まれもしないのに気を利かせて(親の不安の解消のために)あれこれ先回りして解決してあげることは、本当に良いことなのでしょうか? そうした関わり方が続くと、子どもが自ら問題を解決していく力が育つチャンスを摘み取ってしまいます。

親が先回りすると、子どもが成長するチャンスを奪う。

自分からやる子が育つ親の行動

子どもに頼まれたら動く

それでは、「宿題の内容がわからないからできない」と子どもが訴えてきたとき、親はどうすれば良いのでしょう？

この事例では、子どもは「何の宿題が出たかわからない」と言っていますが、「だからどうするか」は伝えていません。「ママ手伝って」とも言っていないし、「誰かに聞いて」とも言ってないのです。

子どもが困っていると何とかしてあげたいのが親心ですが、自分からやる子を育てるためには、すぐに手だしをするのではなく、質問をして、子どもから言葉を引き出します。

「それで？　あなたはどうしたいの？」と聴いたら、「ママ、先生に電話して聞いて」と言うかもしれません。

あるお母さんは、こうした場面では「自分のミスだから、自分で電話してね」と言うそうです。またあるお母さんは、「宿題をやらずに学校へ行って、注意を受ける体験をさせる」そうです。それも良いかもしれません。

子育てに正解はありませんが、「最後までちゃんと言う、自分のミスの責任をちゃんと引き受ける」ことを経験している子どもは、問題解決力や責任感をしっかりと身に着けて成長していきます。

子どもには、自分の行動の責任を
自分で引き受けさせせよう。

指示待ちっ子が育つ親の行動

子どもの失敗で親の評価を気にする

子どもが失敗すると「自分がダメな親だと思われるのではないか」と考えてしまうことはないでしょうか？

誰でも感じる不安ですが、それがあまりにも強いと、親自身が自分に自信をなくしてしまうことがあります。不安がさらに高まると、子どもに対して、強い口調で説教してしまったりします。
「だから言ったよね？」
「どれだけ、お母さんが恥をかいたと思ってるの！」
「今度からこうやるのよ！」
矢継ぎ早に言われると、子どもはたまったものではありません。子どもによっては何も言い返せないかもしれません。

子育ては、「完璧な母親として認められるため」にやるものではありません。
「間違いを指摘されないようにしなくては」「できる自分でいなければ」と考えていると、ちょっとした誰かの意見や指摘、相手の表情にまで過敏になってしまいます。これでは、親自身がとても生きづらくなってしまいます。
親が必要以上に周囲を気にして不安定になると、子どもへの言葉もきつくなってしまうので気をつけたいですね。

「子どもの失敗」と自分の評価を
リンクさせると苦しくなる。

自分からやる子が育つ親の行動

子どもの失敗は親子の成長の機会と考える

自分からやる子が育つ親は、子どもの失敗と自分の価値は別のものと考えます。

失敗に対し、日本人はやたらと反省させると言われています。私は、本来の反省とは、懺悔や後悔ではなく、「その経験から何を学ぶか、その学びを活かすために何をするかを考えていくこと」だと考えています。どんなマイナスな出来事も、「親子で成長するチャンス」に変換することができるからです。

そのためには、一方的に話をしたり、答えを与えたりせず、「質問」によって、子ども自身の思考を促すことが大切です。

たとえば、次のような質問です。

「この出来事から、どんなことがわかったかな？」

「これから先、同じようなことがあったとき、どんな行動をすると良いと思う？」

「そのために、これから何ができるかを、ママと一緒に作戦会議しようよ」

正解を言わせることは目的ではありません。子どもが答えを出すまでじっくりと待ちます。どんな答えを言っても、「なるほど」と聞いてあげましょう。「自分の力で考える時間をじっくりと共有する」ことで、子どもの思考力も意欲も育っていきます。

子どもの失敗をチャンスに変える関わり方をしよう。

指示待ちっ子が育つ親の行動

成功体験をお膳立てする

長女が小学生のとき、夏休みの宿題で大好きな工作に取り組んでいました。しかし、9月1日、しょんぼりして帰ってくる娘に理由を聞いて驚きました。

「みんなの工作はすごく上手だった。先生が、私の作品をみんなに見せて、これは名前がないけど誰の作品？　と聞いたとき、恥ずかしくて手が挙げられなかった」と言ったのです。

私の勤務校でも、明らかに「親がつくったのでは？」と見られる夏休みの作品がありました。子どもが恥をかかないように、あるいは良い評価を得られるようにと、あれやこれやと手伝ったのかもしれません。

しかし、お膳立てされたような成功体験ばかりで育ってきた子どもは、決して本当の自信を持つことはありません。

何かを自分で考え、試行錯誤して乗り越えた経験がない子が大人になってからのことを思うと、少し心配になります。

お膳立てされた成功体験ばかりしてきた子は、変なプライドばかりが育ってしまうこともあります。その結果、失敗を怖がったり、ちょっとしたことで折れてしまうことがあります。

子どもにとって、何が本当に大切な体験なのかを、親はしっかりと考える必要があります。

成功体験や結果にこだわりすぎると、本当の自信は育たない。

自分からやる子が育つ親の行動

成功のための思考を促す

私の講座を受講された、あるお母さんの事例です。

お子さんがサッカーチームの試合でミスをし、落ち込んでいました。そこでお母さんは、こう質問しました。

「うまくいかないときって、何だった？」

お子さんははっとして、「そうだ！　成長のチャンスだった！」と答えたそうです。

「今回のミスでわかったこと」「もっといいプレーをするためにできること」をお母さんと一緒に考え、元気を取り戻したと聞きました。

このお母さんが心がけていたのは、次の３つです。

（1）うまくいかない体験は、悪いことではなく、大切なことなのだととらえ、機会があるごとにそれを伝える

（2）小さな失敗の場面でも「どうやったらできるか」の気持ちが持続するよう声かけし、考えて行動したことをほめる

（3）思わず手を貸したくなっても、じっと我慢して見守る

大切なのは、成功させることではなく、安心して試行錯誤ができるようなサポートです。

自分で考え、行動する過程で得たものは、チャレンジを楽しむ心や、新しいものをつくり出す創造力の土台となります。それによって主体性が育っていくのです。

安心してチャレンジできるような「声かけ」をしよう。

指示待ちっ子が育つ親の行動

権利を主張し義務を怠る

あるお母さんから「明日は、子どもを連れて旅行に行くので、学校を休みます」と連絡がありました。お母さんは「私たちの権利ですよね」と話され、担任も「了解しました」と返事をしました。最近は、価値観も多様化し、そのような考え方があっても良いと思います。

しかし、旅行の翌日に登校してきたその子は、朝からぐったりして、やがて発熱。様子を聴くと、旅行先で遅くまで遊び、夜中に帰宅したといいます。すぐに、お母さんに連絡して、お迎えをお願いすると「休み明けで忙しいのに！」とお怒りでした。
「学校を休んで旅行に行くのは権利」とおっしゃったお母さんでしたが、健康状態をしっかりチェックして登校させる義務は果たしてくれませんでした。

このコロナ禍においても、熱があっても登校させ「学習させる権利」や「皆勤賞のため」を主張されるお母さんもいらっしゃるようです。感染予防の点からも、家庭での健康観察をお願いしたら逆ギレされた話も耳にします。

子どもは、親の背中を見ています。権利ばかりを主張する親の姿は、子どもに何を伝えてしまうのかを考えたいものです。

権利ばかりを主張する親の姿は、子どもに何が伝わるかを考える。

自分からやる子が育つ親の行動

義務を果たして必要な権利を主張する

親には、子どもを学校に行かせる義務と、子どもに健康な生活をさせる権利と義務があり、子どもには、学ぶ権利も「家族との時間を楽しく過ごす」権利もあります。そして、親には、「子どもを養育する」義務があります。

私の養護教諭時代を振り返っても、権利と義務のバランスをしっかりとられているご家庭のお子さんは、心身ともに安定していたように感じています。

「遊びに行く」権利を行使するとき、同時に「子どもの体調に万全を期す」、「子どもの健康を管理する」義務も果たしています。

連休などでの旅行であっても、登校前日にあたる日には、早めに帰宅し、子どもがより良い体調で登校できるように、子どもとあらかじめ話し合っているのです。

また、体調が悪いときには、早めに休ませるというのも、親にとっての義務でもあります。

時代は変わっても「子どもが心身ともに健康に生活する」という権利と「子どもに健康な生活をさせる」という義務は、変わることのない基本です。

権利と義務のバランスを取って、健全な生活をさせよう。

指示待ちっ子が育つ親の行動

情報を鵜呑みにして振り回される

低年齢からスマートフォン（以下スマホ）を持つ子も多くなり、「ネット被害から子どもを守ろう」とする意識も高まっています。

しかし、最近は「親の情報リテラシー（情報を読み解く力）やネットマナー教育が先」と考える意見が主流です。

実際、学校現場からは、親のネットやLINEの使い方によって、色々な問題が発生しているという報告が多々あります。

たとえば、インフルエンザなどで欠席者が出ると「〇〇君と▼▼さんは、インフルエンザらしいよ」「最初の感染源は●●君」などの個人情報を安易に流したり、「今度転勤してくる先生はこんな人」「あの転校生は、前の学校で問題児だったらしい」など、先入観をあおるような内容を投稿する親がいるのです。

デジタル機器やアプリを使いこなし、情報を収集することは悪いことではありません。

しかし、**「親が情報に対して読み解く力を持ち、情報を発信することで起きる影響を予想し行動できる」**ことはもっと重要です。本当の情報弱者とは、情報収集はできるけど、その情報を的確に扱うことができない人のことを言います。

子どもは、無意識に親のやることを見ています。まずは大人が、情報リテラシーを学び実践することが必要なのです。

大人の情報リテラシーが弱いと子どもに悪影響が出る。

自分からやる子が育つ親の行動

自分なりの判断をして行動する

現代人が１日に受け取る情報量は、平安時代の１年分といわれ、私たちの日常は、情報で埋め尽くされているといえます。簡単に情報が手に入る状況は、同時に子どもたちが危険にさらされる可能性も高めています。そのため、ネットも含めた情報リテラシーが注目され、学校でも取り組まれています。

この情報リテラシーは、情報に対する親の態度も影響しています。チェックポイントを以下に挙げてみます。

（1）ママ友グループで盛り上がっている話題について、一定の距離を保ち、情報について冷静に判断し、取捨選択して行動しているか
（2）子どもが学校で見聞きした情報について、真実なのか、誰かから聞いたことなのかなど、一歩引いた形で対応しているか
（3）子どもたちと、ネットの使い方について話し合う時間を持っているか
（4）子どもがネットを通じて出会っている人を把握しているか

「情報とどうつきあい、どう判断し行動するか」という親の普段の姿が、子どもたちの主体性の土台となります。

主体的な子どもを育てている親は、学校で教えてほしいと言う前に、自分が情報とつきあう姿を子どもに見せているのです。

親が情報とのつきあい方を行動で示し、
子どもの主体性を育てよう。

指示待ちっ子が育つ親の行動

子どもの話に同一化する

「話を聴くときは、共感しましょう」とよく言われます。

確かにそうなのですが、最近、共感を通り越して、「同一化」する方もいらっしゃるようです。「同一化」とは、相手の感情に巻き込まれ、一緒になって泣いたり怒ってしまう状態です。そして、それがやさしさだと勘違いしていることも特徴です。

「かわいそうに。わかるよ、わかるよ」
「そんなひどいことを言われたの？　なんてひどい人なの！」
「話を聴いていたら、お母さんまで腹が立ってきたわ」

一見、共感しているようですが、これは同一化（問題の中にすっぽりと入り、非常に視野が狭くなった状態）です。

子どもの感情に同一化してしまうと、子どものマイナス感情が増幅されてしまいます。それを、さらにお互いに感じ合い、また増幅させるので、完全に客観性を失ってしまいます。

こうなってしまうと、子どもはなかなかマイナスの感情から離れることができません。親のほうも冷静さを失い、怒りの矛先を向ける相手を探し、攻撃をすることもあります。こうなってしまうと、経験を成長に変えることが難しくなってしまうのです。

共感と同一化は別のもの。
同一化すると客観性を失ってしまう。

自分からやる子が育つ親の行動

ニュートラルに話を聴く

親は、プロのカウンセラーのようにはできませんが、ちょっとしたことで、かなり冷静に話が聴けるようになります。

私の講座では、「ニュートラル（中立的）」な状態で、話を聴く方法をお伝えしています。この方法で子どもの話を聴いたお母さんからは、「話を聴いていくうちに、子どもの感情が徐々に収まっていき、驚いた」などの感想をいただくことが多くあります。

以下は、ニュートラルな聴き方のポイントです。

（1）自分も相手も尊重すべき大切な存在で、子どもは自分の問題を自分で解決できる可能性を持っている存在として扱う（話を聴く前に心で強く宣言します）

（2）親は解決してあげる人ではなく、子どもの気づきや成長をサポートする存在であると決めてから話を聴く（これも心で宣言します）

（3）地面と天と自分をつないだ軸をイメージし、丹田（おへその下あたり）に手を当てて話を聴く（イメージで体の状態を変えるNLPの理論。丹田は、東洋医学では体の中心とされる）

ぜひやってみてください。スキルではなく、聴き手の内面を整えることの方がスキル以上に相手に影響するのです。

親がニュートラルな状態で話を聴くと、子どもも自然に落ち着いてくる。

指示待ちっ子が育つ親の行動

家事をやらせ文句を言う

養護教諭時代の小学生の事例です。

「私は、家のお手伝いをいろいろやっている。でも、お母さんは、こんな洗い方をして！　とか、ちゃんとできてないよ！　って怒るばかりで、悲しくなる」

子どもに手伝いをさせると二度手間になるとおっしゃる方もいます。お母さんにしてみれば、自分が期待したようにやってくれないので、イライラしてしまいます。しかし、子どもは、子どもなりに頑張っています。

「洗濯物がまだ濡れているじゃないの！」

「こんなたたみ方したら、しわになるでしょ？」

「やるなら最後までちゃんとやってよ」

こんなことを言われ続けたら、大人でも嫌になります。

人間の脳は、「欠けている部分」に目が行きやすいので、できていないところが気になり、指摘したくなるのです。

子どもにしてみれば、欠けている部分ばかりを指摘されると、意欲もなくなってしまいます。

それだけでなく、将来、家事をするたびに、ガミガミ言われた感覚がよみがえってしまうこともあります。それは、とても悲しいですよね。

できていない部分ばかりを指摘されると、意欲がなくなってしまう。

自分からやる子が育つ親の行動

一緒に家事をやり体験を共有する

家のお手伝いは、五感を使い、段取り力や手先を動かす体験など、教育的に得るものが多くあることが知られています。

そして子どもに任せることは、大人にとっても「待つ」姿勢を学ぶチャンスでもあります。

では、お手伝いによって、主体性や意欲を育てるにはどんなことに気をつければ良いのでしょうか？

家事などを子どもに任せるとき、大切なのは、「努力したことを承認してあげる」ことです。

たとえば、次のような声かけです。

「頑張ってくれたね、助かったよ。ありがとう」

「どうやってこんなにうまくできたの？　ママにも教えて」

そして、親子で一緒に家事をやり、体験の共有ができると良いと思います。以前と比べて上手になったことや工夫している点を見つけて、承認してあげてください。結果より努力の過程を承認してもらったほうがやる気がアップします。

子どもにとっては、どこかに連れて行ってもらう特別な体験も、もちろんうれしいのですが、「日常の何気ない体験の共有の積み重ね」は、深い喜びや自己効力感につながります。

子どもが努力した「過程」に目を向け、承認の言葉をかけよう。

指示待ちっ子が育つ親の行動

子どもを親のペースで動かそうとする

子どもの行動が待ちきれず、「早く！　早く！」と、せかしてしまうことはありませんか？

ゆっくりペースの子どももいます。子どもがその子のペース以上のことをするには、そのための時間も必要です。

口で指示されて、すぐにできる子ばかりではありません。せかされると、焦ってしまい、手先にまで意識がいかなくなります。そして、ますます動きが悪くなり、さらに叱られるという悪循環が起きてしまいます。この繰り返しによって、子どもはどんどん意欲をなくしてしまいます。せかすことは、逆効果なのです。

焦るお母さんと、モタついてしまうこどもの図、よくある風景です。このような場面では、親の呼吸と子どもの呼吸が全く合っていないのです。

呼吸が合わないとは、「息が合わない＝気が合わない」ことで、とても不安定な状態です。脳科学ではこの状態を、安心安全を感じない関係性であると考えます。

この状況が続いてしまうと、子どもの心は安定せず、叱られてばかりの自分が嫌になり、意欲をなくしてしまいます。

安心安全が感じられない状況では、人間は能力を発揮することができないのです。

親が自分のペースを優先すると、
子どもは安心できなくなる。

自分からやる子が育つ親の行動

子どものペースを尊重する

呼吸合わせは、相手のペースを尊重し、安心安全を感じさせ、そこから次の行動に導くための大切なポイントです。

呼吸は、意識しなくてもできますが、意識的に深い呼吸をすることもできます。呼吸が意識と無意識の両方に関与していることから、大事な場面で心を整えるためにも使われています。

P.111の話をするタイプの違いでも述べたように、子どものペースを尊重するためには、「呼吸合わせ」が効果的です。

体感覚優位の子どもは、呼吸が深くてゆっくりです。自分の呼吸を子どもの呼吸に合わせてあげると、子どもは安心します。

呼吸合わせは、安心安全の状態を作り出します。子どもは、安心した状態になると、心を開き、親の言葉を聞き入れることができます。

子どもの作業スピードを上げさせたいときも、同じです。まずは子どもの呼吸に合わせます。二人の呼吸が合ってきたら、徐々に作業のスピードを上げていきます。すると、自然に子どものほうからスピードを合わせてくれるようになります。

相手の呼吸に合わせることは、深いレベルの安心安全をつくり出すのに非常に効果的なのです。

**呼吸合わせをし、子どもを安心させてから、
話を始めよう**

ワークシート3

Iメッセージで伝える②

いつものほめ方をIメッセージに変え、
子どもが受け取りやすくするためのワークシートです。
ほめてあげたいことがあったとき、このワークシートで
言葉を変換してから伝えてあげましょう。

例

YOUメッセージ （相手を主語にする）=いつもの言い方

すごいね／上手に描けたね／頑張ってるね

Iメッセージ （自分を主語にする）

私は（ママは）、それって、すごいと思うよ
私は（ママは）、その絵、すごく上手に描けていると思うよ
私は（ママは）、あなたがすごく頑張ってると思うよ。

例にならっていつものほめ方をIメッセージに変えてみましょう

YOUメッセージ （相手を主語にする）=いつものほめ方

Iメッセージ （自分を主語にする）

第5章

「愛情」のかけ方を変えてみましょう

子どもを信じ、自分の価値観を押しつけない

指示待ちっ子が育つ親の愛情

相手に受け容れてもらえない

ある友人が、「夫が受け容れてくれない」「私が忙しそうにしているのに察してくれない」と愚痴ってきました。

この様子に、お子さんのことが心配になり尋ねてみました。すると、「大丈夫。子どもの前では笑顔で接しているから」との返答でした。しかし、本当にそれで大丈夫でしょうか？

子どもは、夫婦のやり取りを、言語ではなく「感覚」で感じ取っています。親の本音と言動が違っていると、子どもは不一致感、違和感として受け取ります。

そして、親が「〜してくれない」「言わなくても察してほしい」という、依存的なコミュニケーションをしていると、子どもも同じような人間関係のつくり方をするようになります。

実際、保健室には、「まわりの子が自分のことをどう思っているのか気になって苦しい」「だれも、私のことをわかってくれない！」などの悩みで相談にやってくる子どもが年々増えています。

家庭は、人間関係の土台をつくる大切な場です。子どもと親の関係だけでなく、夫婦の関係もとても大事です。どんなに表面でごまかしても、子どもたちは、その関係性を感覚的に感じ取っています。

夫婦の愛情問題は、
子どものコミュニケーションに影響する。

自分からやる子が育つ親の愛情

自分から相手を受け容れる

では、子どもたちにプラスの影響を与える夫婦関係とはどういうものでしょうか？

それは、幸せにしてもらう、わかってもらうといった受け身ではなく、「自分から相手を受け容れて関わる」ということです。受け容れるとは、好きになることとは違います。何をやっても許すということでもありません。下手に出て、相手の機嫌を取ることでもありません。

人間には、プラスの面と同じくらいのマイナスの面があります。それを理解したうえで、自分からどう関わるかを決めることが必要です。具体的には

・自分から、積極的に気持ちを込めた挨拶をする
・プラスの面を見つけたら、声に出して伝える
・小さなことでも、うれしかったことは、感謝の言葉をかける
・相手の行動で、何か困ったことがあるときは、「私は、あなたが○○すると困ってしまうので〜してくれると助かるよ」とIメッセージ（私を主語にした表現）で率直に伝える
・意見が食い違ったときには、どうすればお互いが納得できる形になるかを、本音で話し合う
・お互いが大切にしている世界は尊重し合う

こうした環境で育った子は、人との違いを認め合ったうえで、自分の意見をしっかりと伝えることができるようになります。

子どもの人間関係の
最初のお手本となる夫婦関係を築こう。

指示待ちっ子が育つ親の愛情

見えないへその緒をつなぎ続ける

お母さんの中にはこんなことを言う方がいます。
「この子、私がいないとダメなんです」
「ママの言うとおりにしておけば間違いないから」

子どもがいくつになっても、世話を焼きたい、わが子の役に立ちたいと考えることが、愛情だと考える方がいます。
私はこれを「見えないへその緒をつなぎ続けている状態」と考えています。
口では「うちの子、こんなに親に頼ってばかりで将来大丈夫かしら」と言っているのですが、無意識の部分では「自立されると困る」のです。自分では何も決められず、自信がないままでいてくれたほうが、親は自分の存在価値を感じることができるのです。

小学生になると、自分で考えて行動する場面も増えてきます。本来、喜ばしいはずなのに、孤独を感じる親もいるのです。「子どもを依存的にしているのは、親である自分だ」と気づかないと、子どもはいつまでも自立できません。

80代の母親が、自立できない50代の子どもの面倒を見ている「8050問題」。これもまた、見えないへその緒をつなぎ続けている結果なのかもしれないと思っています。

「見えないへその緒」でつなぎ続けていると、子どもの自立が遅れる。

自分からやる子が育つ親の愛情

生まれた瞬間から自立するものと考える

約280日間、母親の胎内で育った赤ちゃんは、お母さんと協力して産道を抜け、誕生します。受精卵は、自ら子宮の壁に潜り込み、胎盤もへその緒も自分でつくります。人間は、受精卵の段階から、自ら生まれ、生きようとしています。

人は、産声をあげ、肺呼吸を始めると、母子をつないでいたへその緒が切り落とされます。そして、この瞬間から、一人の人間として生きていくための「自立の道のり」が始まります。
「子育て四訓」は、子どもの成長と親子の関係を次のように示しています。

乳飲み子からは肌を離してはいけません
幼児は肌を離し、手を離してはいけません
少年は手を離し、目を離してはいけません
青年は目を離し、心を離してはいけません

子育てのゴールは自立です。つまり、子育ては、手放すことの連続なのです。ゴールを見失わない親は、どの時期に何を手放し、責任を負うべきことは何かを適切に判断します。それは、子どもが持つ可能性を信じているからこそできることなのです。

子どもの自立を促すために、
子どもの可能性を心から信じよう。

指示待ちっ子が育つ親の愛情

子どもが登校した後も心配し続ける

私は、２人の娘を育てました。長女は喘息もあり、しょっちゅう熱を出していたので、私は心配ばかりしていました。

そんな私に、先輩の先生がアドバイスをくださいました。
「親が心配していると、子どもは保育園でグズってしまうよ。保育士さんを信頼して、預けた後は、自分の仕事に集中するって決めると、子どもも保育園で楽しく元気に過ごすんだよね。
だから、お子さんも保育士さんも信頼して、自分がやるべきことに集中しなさい」

先輩からのアドバイスで気づいたのは、次の２点です。
（1）心配することは決して愛情ではない
（2）心配ばかりするのは、子どもの可能性や関わってくださる周囲の方を信頼していないから

その後、脳科学を学び、現在は、以下のことを付け加え、私の体験とともに、講演や講座でお伝えしています。
（3）子どもは、母親の心配を敏感にキャッチする。親の心配をランドセルに詰め込んで、学校でそれを実現している

あなたは、まだ心配を続けますか？

子どもは、親の心配をランドセルに詰め込んで、毎日実現している。

自分からやる子が育つ親の愛情

子どもを信じて自分のことに集中する

子どもの状態が、母親の内面とリンクしているとしたら、親はどんなことに気をつければ良いのでしょうか？

近年は特に、家庭環境も多様化しています。私の現場経験から言えるのは、共働きだからとか、片親家庭などの状況は、子どもの健全な成長にさほど関係ないように感じています。

むしろ、母親が専業主婦で、両親がそろっていても、子どもの一挙一動に注目しすぎたり、子どもの世話を必要以上に焼いてしまったり、周囲の目ばかりを気にしていると、子どもは不安定になります。

家庭環境に関係なく、意欲的な子どもが育つ親は、次のようなスタンスに立っています。

- 心配を信頼に変えることができる
- 自分がどうしたいかを大切にして行動を決めている
- 子どもを、一人の人間として尊重している
- 自分の人生で集中できる何か（趣味や仕事）を持っている

親自身の自立の度合いが、愛情の質になり、子どもの心身の成長に影響していると言えるのかもしれません。

心配を「信頼」に変え、親自身が自分の人生を生きていこう。

指示待ちっ子が育つ親の愛情

子どもが歩く道の石ころを取り除く

６年生のＤ君が、運動会で応援団長になりました。Ｄ君がまとめる赤組には、手のかかる下級生Ｅ君がいました。

同じ赤組の６年生も協力的で、担任教師は側面からフォローし、この状況を乗り越えていくＤ君の成長を見守っていました。

しかし、ある日、Ｄ君のお母さんがものすごい勢いで、学校に乗り込んでいらっしゃいました。

「Ｅ君を、赤組ではなく、別の色に変えてください。どうしてうちの子ばかりが、Ｅ君の面倒を見なくちゃいけないのですか！？」との訴えでした。

学校生活には、チャレンジする機会がたくさんあります。ときには、ストレスになることもあります。なかには、心配で目の前の石ころを全部取り除いてあげようとする方もいます。

確かに、それをすれば、子どもは転ぶこともないですし、けがもしません。安全に道を歩くことができます。

しかし、それは、試行錯誤をしたり、創意工夫するチャンスを奪うことでもあります。小さな擦り傷を体験していない子どもは、将来、ちょっとしたことでも、それを乗り越える心の体力が育っていないので、簡単に折れてしまうかもしれません。

子どもが転ぶのを怖がると、
大切な体験のチャンスを奪うことになる。

自分からやる子が育つ親の愛情

子どものつまずきを成長に変える

では、先ほどの事例において、自分からやる子を育てる親は、どんなサポートをしているのでしょうか？

まずは、直接的な対象（この場合はE君）からいったん意識を外す必要があります。そのためには、「こうなるといいな」という未来の解決像から、逆算する必要があります。

私の講座では、次のような言葉がけを紹介しています。

（1）運動会が終わったとき、どんな自分に成長していると思う？
（2）そのとき、E君との関係はどうなっているかな？
（3）応援合戦がうまくいっている状況をイメージしてみようか
（4）みんなどんな表情で応援してる？　まわりで見ている大人は？　そして、団長としてみんなを指揮しているあなたは、どんな気持ち？

子どもが、達成している未来を体感し、ワクワクした気持ちになることがポイントです。そして、「その未来を実現するために何をすればいいのか、一緒に考えよう」と声をかけてあげてください。この質問で、子どもは「望む未来に向けての具体的な行動」について考え始めます。

脳の仕組みを活用し、つまづきを成長に変える関わり方は、とても効果的です。

問題そのものより、
「望む未来」をイメージできる関わり方をしよう。

指示待ちっ子が育つ親の愛情

子どもが困っていると自分の価値を感じる

私の講座の受講生さんが関わった事例です。母子で保健室登校をしているF君の状況に良い変化が現れ始めたある日、先生がF君と今日の予定について確認をしに保健室にやってきました。

F君は、これまで、お母さんが何かと指示し、素直に従い、自分の意思を出したことがありませんでした。しかし、その日は、初めて「今日から、美術の授業だけ参加します」と意思表示をしました。

先生が、「お母さん。F君、自分で決めましたね！」と声をかけると、お母さんの表情がすぐれません。「よかったです」と、答えるのですが、がっくりと肩を落とし、顔色も悪いのです。

子どもが困っていることを望む親はいません。ただ、親が自分の存在価値に確信が持てないでいると、大変な状況の子どもの面倒を見る自分に存在価値を感じてしまうのです。

自立してほしいと言いながら、してもらっては困るという矛盾した気持ちになってしまうのです。

子どもは、無意識に親の意図に沿おうとしてプラスにもマイナスにも頑張り続け、親の人生を生きることになります。

子どもの人生を親の人生の一部にしてしまうと、子どもはいつまでたっても自分の人生を生きることができなくなります。

親の人生に子ども取り込むと、
子どもは自分の人生を生きられなくなる。

自分からやる子が育つ親の愛情

子どもと自分の価値を混同しない

自分からやる子を育てる親は、子どもは自分の人生とは別の人生を歩む人間であると考え、それを尊重します。

あるお母さんは、お子さんが兄妹そろって進学校に合格したことで、保護者の間でも話題になっていました。そのお母さんと話す機会がありましたが、そのときのお話は、とても印象的で今でも記憶に鮮明に残っています。

「進学校に入学したことはひとつの結果です。
どこの高校出身ですか？　と聞かれて、◎◎高校です。あらすごいわねって他の人から言われたとしても、その一瞬なんですよ。学歴なんてその程度のことです。その一瞬の親の見栄のために、子どもの人生があるわけではないと思っています。」
そのお母さんは、さらに次のように話されました。
「大切なのは、自分がどう生きていくのかを、自分で考えて設計していく力だと思っています。
私は、私の人生をどうやって楽しくしようかと、そればかり考えています。親が楽しそうに生きていることが大事ですよね」

子どもは子どもの人生を歩み、親は親の人生を歩む。これが基本なのだと改めて考えさせられたお話でした。

親が主体的に生きることで、
子どもに人生の楽しさを教えよう。

指示待ちっ子が育つ親の愛情

子どもが親のエネルギーを補う

教員や看護師さん、保育士さんの子どもが、不適応を起こすことが多いことは、教育現場ではよく言われることです。親は、仕事に対してとてもまじめで、パワフルですが、その子どもがなんとなく覇気がなかったり、トラブルメーカーだったりします。

私の長女も、自分を表現することが苦手な子でした。以前の同僚が娘の担任になったとき、冗談半分に「娘さん、元気ないね。子どものエネルギー奪ってない？」と言われたことがあります。そのときは、「そんなばかなこと」と思っていました。

しかし、脳科学を学び、その言葉の意味がわかりました。

それは、「家族の中で一番感受性の強い子どもが、親のエネルギー不足を無意識に補う」というものでした。養護教諭として、保健室で子ども達に関わり、帰宅後も学校のことや仕事のことを考えていました。家に帰ったら、お母さんのはずなのに、教師のままでいたのです。今思うと、長女は、私のためにエネルギーを補い続けていたのだと思います。そのため、一時は登校を渋ってしまうこともありました。

仕事のときの自分と、母親としての自分をしっかり切り替えないと、想像以上に子どもに影響を与えているのです。

子どもは、疲れた親に無意識にエネルギーを送り、自分が枯渇する。

自分からやる子が育つ親の愛情

家族全体のエネルギーを循環させる

仕事も責任を持って取り組みたいし、家庭では、家族が元気に過ごしてほしいですよね。そのためには、どんなことに気をつけたら良いのでしょうか？

私の講座では、「仕事が終わって職場を出たら、必ず仕事の自分をリセットしてください」とお伝えしています。さらに、「自宅に入るときには、『〇〇家のお母さんに戻りました』と宣言してからドアを開けてください」とお話ししています。

やり方は簡単です。「仕事の自分をリセットしました」「お母さんの自分に戻ります」と心の中で強く宣言するだけです。

実際に、これを実践するようになった方からは、「気持ちの切り替えができ、子どもも安定してきました」との声をいただいています。嘘のようですが、多くの受講生が体験しています。

親自身が仕事や家庭外で感じたマイナス感情を家庭内に持ち込まないようになると、家族のエネルギーが回るようになります。

また、感受性が強いお子さんがエネルギーを消耗するのも、親も含めた周囲の影響を受けている場合があります。

お子さんにも、外から帰ったら「リセット」し、「本来の自分自身に戻りました」の宣言を教えてあげてください。

家に入る前は、外から持ち込んだ他人の感情や想いをリセットしよう

指示待ちっ子が育つ親の愛情

心配が愛情と考える

６年生のＧ君が保健室にやってきました。友だちとけんかをしたとのことで、腕に傷がありました。

手当てをしながら、「小さいけがだけど、相手がいることだから、担任の先生からおうちの方に連絡してもらおうね」と言うと、「絶対にやめて！」と必死に頼み込んできました。

理由を聴くと、Ｇ君は次のように答えました。

「お母さんに話すと、友だちの家に怒鳴り込んだり、先生に文句を言ったりする。以前は嬉しかったけど、今は嫌なんだ。このけがも、僕が原因だったけど、相手のＨ君も先生に注意されている。けがの手当てをしたら、僕はＨ君に謝る。自分で解決できることにまで、お母さんに口を出してほしくないんだ」

親が自分のことを心配してくれるのは、とても嬉しいことです。でも、子どもは年齢とともに、自分で考え、判断し、行動できることが多くなります。

Ｇ君のお母さんのように、心配ばかりしていると、子どもは、「自分は信頼されてない」と感じるようになります。

子どもは、親から心配されることを、必ずしも愛情として感じるとは限りません。必要な時期に、心配を信頼に変えていく必要があります。

心配ばかりでは、子どもは「信頼されていない」と感じるようになる。

自分からやる子が育つ親の愛情

信頼が愛情と考える

心配しているときの脳は、まだ起きていないことに対して「こうなったら嫌だ、怖い、どうしよう！」などと想像し、脳の中で無意識に主観的な映画を上映している状態です。

その不安や恐怖は、実際に起きているわけではないのに、今、ここにいる自分の感情に影響します。

脳科学の視点から言えば、感情を伴った想像は、現実化しやすいのです。子どもと母親は、無意識の部分で影響し合っているので、当然その心配は、子どもの現実に影響します。

私の講座では、「心配は信頼に変えましょう」とお伝えしています。心配しても、現実が変わらないのであれば、無意識の部分にわが子への「信頼」を送る方が得策です。

信頼されて育てられた子どもはチャレンジ精神が旺盛で、自立している傾向にあります。信頼とは「もしも失敗してもそれを乗り越えて成長できる」と信じていることです。

子どもを信頼するためには、「親自身が自分を信頼する」必要があります。「子どもを信じると決めた自分を信じ続けることができる」ことでもあります。

必要であれば、厳しいことも言えるのが「愛」です。愛情は、様々な「情＝感情（喜怒哀楽）」が乗ります。

本当の愛とは、きれいごとではなく、「情」に振り回されない中庸の状態であると言い換えることができます。

子どもを信頼するために、親自身が自分を信頼しよう。

指示待ちっ子が育つ親の愛情

尽くすことが愛情と考える

私の講座に参加される方のなかには「子どもに尽くす」「他人に尽くす」ことを大事にされている方がいます。

日本では、長い間「母親が犠牲的に尽くすことが美徳」とされる文化がありました。その傾向はまだまだ残っており、誰かの役に立っていないと、人間としてダメなのではないかと思ってしまう方もいます。

しかし、人に尽くすことは、先回りしてやってあげることでも、転ばないようにすることでも、目の前の壁を取り除いてあげることでもありません。

特に、料理も掃除も何でもできて、子どもの世話もちゃんとできるお母さんのお子さんが、１人でできないことが多い傾向にあります。お母さんに任せておけば完璧にやってくれるので、子どもは何もする必要がないのです。

尽くし方も、度がすぎると、子どもは、「何も言わなくてもやってくれるのが当たり前」だと考えるようになってしまいます。「当たり前」とは、「ありがとう」の反対の言葉です。

尽くすことは素晴らしい愛情表現のひとつですが、「本当にそれは、子どものためになるかどうか」は冷静に考える必要があります。

尽くし方を間違えると、
「何でも当たり前」の気持ちを育ててしまう。

自分からやる子が育つ親の愛情

自立させることが最大の愛情と考える

子どもが自立するときに、子どもから親に対し、「この関わり方が本当に嬉しかった」と感謝されるとしたらそれは何でしょうか？

あるお母さんが、「自分で考えて、自分でできるようになる喜び」と答えてくださいました。

なるほどと思いました。

そのお母さんは、とても「ほめ上手」でもありました。子どもがなにかをするときには、手出しは最小限にして、試行錯誤する姿をニコニコして見ている方でした。

これは、自分から進んでやれるようにするための愛情のかけ方のひとつです。子どもが取り組んでいることに対し、以前よりどんな進歩をしたのかを丁寧に伝えるのです。

たとえば、「この間まで、すごく時間がかかっていたのに、今日は楽々やってるのね」のような言葉がけです。

できたことをほめているのではなく、さりげなく「前よりちゃんと進歩してるよ」と伝えているのです。これは、子どものことをしっかりと観察しているからこそ言える言葉だと思います。

このような言葉をかけられた子は、「親はちゃんと見ていてくれる」「自分はどんどんできるようになるんだ」と、意欲を持つようになります。まさに生きる力がみなぎってくるのです。

**子どもをしっかりと見守り、
進歩していることを実感させよう。**

指示待ちっ子が育つ親の愛情

自分の親のように なりたくないと考える

「私は、自分の親のようにはなりたくない。だから、子どもには〇〇する」と、おっしゃる方がいます。

しかし、不思議なことに、そういう親ほど、子どもから「おばあちゃんがすることにそっくりだね」と言われたりします。

じつは、私自身もそうでした。「ほめてもらえなかった。気持ちを受け止めてもらえなかった。私は絶対に自分の子どもには、そんなことはしない」と強く決めていました。

しかし、ことあるごとに娘からは「そういうところが、おばあちゃんとそっくり」と笑われていたのです。

自分が自分の親にしてほしかったことを、娘にやっているのですが、ふとした言い方やコミュニケーションパターンなど、無意識にやっていることが同じなんだと、気づきました。

その後の学びで、次の３つを教えていただきました。

（１）嫌いなものは、ずっと自分の中に留まる

（２）嫌っていると、その嫌ったものになってしまう

（３）受け容れたものしか変えることができない

「嫌い」から始まったものは、受け容れない限り、ずっと残り続け、繰り返されるのです。

嫌いの感情からつくった「やり方」は、
結局同じことを繰り返してしまう。

自分からやる子が育つ親の愛情

親と自分の人生を切り離して考える

親の愛情を嫌ったうえでの新しいやり方をしても、うまくいかない理由はおわかりいただけましたでしょうか？

私の講座で、「自分の生きづらさと親との関係」についていろいろなことに気づくと、生き方に変化が表れ始める方がいます。

それは「家族の連鎖が続いてきた中で、自分の親もそうせざるを得なかったのだ。あのやり方が親の精いっぱいだったのだ」と受け容れることができるからです。

親を受け容れたうえで、初めて本気で「自分は今の家族とどう生きるのかを考えることができる」ようになります。

「親は親の人生を生きる。私は、私の人生を生きる。そして、子どもはまた子どもの人生がある」と考えるようになると、親に対してもわが子に対しても、余計なことをしなくなります。ときどき、うっかり同じようなことをしてしまう自分も許せるようになります。

それは、「自分から親につないでいた、見えないへその緒を切り離す」ことです。

親自身が自立する第一歩は、「親が自分の親から自立する」ことにほかなりません。そこから初めて、新しい家族の歴史をつくり出すことができるのです。

親が自分の人生を生きるためには、
「自分の親から自立」しよう。

ワークシート4

言い訳をチャンスに変える

言い訳をすることは、良いこととは言えませんが、
それをはき出すことも大切です。
できなかったこと、やれなかったことがあったときの言い訳を
いったん書き出し、そこから次に向かうためのワークシートです。

①まずは、言い訳を思いっきり書き出しましょう

②もしも、言い訳したことを、ちゃんとやれたとしたら、どんな良いことがあるでしょう?

③それをちゃんとやれた未来をじっくりとイメージし、書き出してみましょう!

- どんな気持ちになっていますか?
- 周りの人はどんなことを言ってくれていますか?
- それによって、さらにどんな良いことが起きるでしょうか?

第6章

「生活」のスタイルを変えてみましょう

子どもとの食事を大事にして、一緒に会話を楽しむ

指示待ちっ子が育つ生活スタイル

イライラしながら食事をつくる

あるお母さんからこんな質問をされました。

「我が家では、主人と当番制で食事をつくっています。同じ分量、同じ材料でつくっても、日によって味が違うんですよ。一昨日までは、主人の料理に、子どもからダメ出しが続きました。ここ数日、主人は仕事でトラブルがあって、家でもずっとイライラしていたんです。それって何か関係があるのですか？」

料理に限らず、感情にぶれがあれば、作業に集中できず、それは作業の結果として表れます。料理も同じですね。

学校給食も、「調理員同士の仲が悪いと味が落ちる」ということは、学校ではよく耳にする話です。

そうした意味からも、「料理の味に、そのときのつくり手の感情や状態は少なからず影響する」と考えられます。

同じ素材や調味料を使い、同じ技術で料理をしたとしても、その料理には、つくり手の感情が調味料のように付加されるのではないでしょうか。

どんなに高級な食材も、怒りや悲しみが乗った料理は、料理の質までも落としてしまいます。子どもが、「マイナスの感情の調味料」も体内に入れてしまうとしたら、ちょっと怖いですよね。

食事をつくるときのイライラは、料理や食事の質を落としてしまう。

自分からやる子が育つ生活スタイル

おいしいご飯をつくると宣言してからつくる

先ほどのお母さんは、さらにこんな質問をされました。

「仕事や日常の中では、私も主人も、腹が立つことや辛くなるときもあります。そんなときは、どうしたらいいのですか？」

こうした疑問に、次のようにお答えしています。

（1）職場を出る際に仕事の自分をリセットし、気持ちを母親に戻す

（2）料理の前の手洗いは、手の汚れも気持ちの乱れも流すイメージで丁寧に行う

（3）「これから、おいしいご飯をつくります。笑顔でつくったご飯でみんなが元気になります」と心の中で宣言する

（4）気持ちがぶれたら、「料理に集中します」と宣言をする

（5）でき上がった料理に「私の愛情パッパ！」の一言をかける

たったこれだけで、料理の味も、子どもたちが体に入れるエネルギーの質も上がります。受講生からも、「この方法で食事をつくり始めたら、家族からおいしいと言われるようになった」「食事の時間の雰囲気が変わった」「簡単なので続けやすい」と、喜びの報告をいただいています。

どんな「想い」でやっているかが、料理に限らず、すべてに共通する大切な原則です。

「おいしい料理をつくります」という想いを持って食事をつくろう。

指示待ちっ子が育つ生活スタイル

歯肉炎や虫歯が多くなる食事をつくる

養護教諭時代、ある転校生の健康診断票を見て驚きました。虫歯ゼロの状態が数年続いていたその子は、ある時期から虫歯が増え、歯肉炎が進行していました。

転校前の学校からの引継ぎでは、ちょうどその頃から家庭内が不安定になり、親子ともども大変な状況だったそうです。

急激に行動が不安定になった子どもに虫歯が増え、歯茎の色が赤くなるなど、歯科衛生上の変化が顕著に見られることはよくあるケースです。歯の健康とメンタルは非常に関係が深いようです。

歯の健康には、食事の時間を決める、歯磨きをする、甘いものを控える、などの他、噛む力を育てる食事も大切です。

いわゆる「オカアサンハヤスメ（オムライス／カレーライス／アイスクリーム／サンドイッチ／ハンバーグ／焼きそば／スパゲッティ／目玉焼き）」は、噛む力を必要としない食事です。

噛む力が弱いことによる心身への影響を挙げておきます。

（1）唾液の分泌が不十分となり、虫歯になりやすい
（2）あごの骨が育ちにくく、歯並びが悪くなる
（3）脳への血流量が減り、脳がうまく働かない
（4）イライラし、怒りっぽくなる
（5）肥満になりやすくなる

歯の健康のための食事も意識したいものです。

噛む力が弱いと、心身にも大きな影響を及ぼす。

自分からやる子が育つ生活スタイル

歯の健康のための食事をつくる

子どもの歯の健康のためには、どんな食事に気をつけると良いのでしょうか？

歯科医が推奨するのは「マゴワヤサシイ（豆／ごま／わかめ／野菜／魚／しいたけ／芋）」の食事です。

そして、噛む力の効果は「ヒミコノハガイーゼ（肥満予防／味覚の発達／言葉の発音／脳の発達／歯の健康／がんの予防／胃腸機能促進／全身の体力向上）」としてまとめられています。

食事づくりは楽しい気持ちでするのが大切なので、スーパーの惣菜も上手に活用しても良いと思います。

余裕があれば、歯科医が推奨する食材を使った料理に家族で挑戦するのも良いと思います。子どもたちにも「一緒にやろうよ」と声をかけ、体験を共有しましょう。

ある若い親世代の方は、「ASMR」（視覚、聴覚、触覚という何らかの刺激によって得られる心地の良い感覚や反応）を使って、子どもと一緒に咀嚼して良い音を出そうとチャレンジをされたそうです。

「よく噛んで食べなさい」と、ついつい説教しがちだったのが、噛む回数も硬いものを食べてみようとする意欲も高まったそうです。若い世代の方のアイディアってすごいなぁと思った事例です。

楽しく習慣化させるために、あれこれ挑戦してみるのも楽しいでしょう。

歯の健康のための食材を楽しく取り入れよう。

指示待ちっ子が育つ生活スタイル

添加物に対し過剰に嫌悪感を持つ

「子どもたちの健康のために、添加物の入ったものは一切食べさせません。手づくりにこだわって、自然のものを食べさせています」

このように話す方がいます。その想いは素晴らしいと思いますが、なかには、添加物を必要以上に毛嫌いされる方もいます。

添加物を極力減らすことが悪いのではありません。その行動の奥に、〈添加物が嫌いだから、怖いから〉という理由で、何かを排除しようとする思いがあることが、体に影響を及ぼすのです。

嫌いのエネルギーは、「好き」よりはるかに強いのです。怖いエネルギーは、「嫌い」よりさらに強力です。

何かをしようとするとき「○○になると嫌だから〜をする」「□□が怖いから〜をする」の裏側の想いがあると、その○○や□□が現実化してしまうのです。まさに言霊です。

このことは、意外と知られていないのですが、私の講座では、何かをやろうとするときのマインドの整え方（状態管理法）のひとつとしてお伝えしています。

とても大切なことを実践しようとしているのに、ここがずれてしまうと、逆効果になってしまうことがあります。

「〜が嫌いだから、怖いから」の想いがあると、そちらが現実化する。

自分からやる子が育つ生活スタイル

楽しい食事のために考え方を大事にする

では、子どもたちにより良いものを食べさせたいと願う親の想いがプラスに働くためには、どうしたら良いのでしょうか？

私の知り合いで、無農薬や添加物排除に取り組んだ方が、考え方をシフトされた体験談がありますので紹介します。

「私は、農薬や添加物を一切排除した食事に徹底的にこだわった時期がありました。でも、同じ活動をしている人を見ると生気がないのです。これは違うんじゃないかと気づきました。そこで、どんなものも、嬉しいな、ありがたいな、おいしいなの気持ちで食べることにしたんです。そうしたら、それまでよりずっと元気になりました」

食事は、家族の健康のためにとても大切です。だからこそ、材料選びをするときも、ちょっとだけ考え方を変えてみましょう。

具体的には、「～が嫌だから」「～になると怖いから」を「○○○をすると、こんなハッピーが起きるから」「△△をすると、もっと元気になれるから」に変えてみることです。

つまり、否定から始めるのではなく、存在するものを受け容れるところから始めてみるのです。ことの表現ひとつで、気持ちがふわっと楽になるのではないでしょうか？

「嫌い・怖い」を手放し、ハッピーをイメージして食事をつくろう。

指示待ちっ子が育つ生活スタイル

ちゃんとつくらねば！
と思って食事をつくる

以前、ポテトサラダに関するＳＮＳ投稿が話題になりました。「母親なら、ポテトサラダぐらい手づくりしろ」と、総菜コーナーでポテトサラダを買おうとした母親に対し、まったくの他人の高齢男性がこう叱責したそうです。

それを目撃した女性が「大丈夫よ」と念じつつ、女性の目の前でポテトサラダを手に取った、とSNSに投稿したのです。

テレビでもこの話題が取り上げられ、「惣菜を買うのは手抜きで、手づくりが愛情なのか？」について話し合われていました。

ポテトサラダに限らず、日常の「食事づくり」でも同じような葛藤がある方も多いと思います。問題は、手づくりかどうかではありません。「手づくりでなければならない」と感じ、ストレスになっているとしたら、そのストレスの方が問題です。

なぜなら、子どもが母親の「ねばならない！」の想いを食べてしまうからです。

「ちゃんとやらないと、ダメな母親と思われる」「姑に嫌味を言われないように」といった恐怖や怒りがあれば、子どもはその感情も一緒に食べるのです。

そんな感情なんて、食べさせたくないですよね。だとしたら、あまりにも強い「ねばならない」は手放しませんか?

**「ねばならない」の想いでつくった食事は、
子どもはその「想い」も食べる。**

自分からやる子が育つ生活スタイル

楽しみながら食事をつくる

ある友人はお店を経営し、毎日忙しそうでした。それでも、食事も手づくりにこだわり、一切の手抜きをしない人でした。

しかし、子どもが成人した後、「今思えば、あんなに頑張って、へとへとになってまで手づくりにこだわるより、多少手を抜いて、家族でニコニコする時間を大切にしておけば良かった」と話してくれたことがあります。

私自身も、フルタイムでの仕事の後の家事をこなすことはとても大変でした。しかし、料理が下手で、上手に手抜きすることを覚えたのは幸いだったと思っています。

真面目な方ほど「こうでなければならない」と考えて、自分に厳しくなりがちです。

子育てに正解などありませんが、家族が笑顔で健康な心身で生活してほしいのは、皆同じだと思います。

最近は、新型コロナウィルス感染予防のため、テイクアウトやおうちでの食事が多くなっています。

そんなとき、レシピにこだわるだけでなく、子ども部屋をレストランにしてみたり、ピクニック風のお弁当にしたり、また今日１日のありがとうの交換をする時間を取るなど「楽しい食事の工夫」はできます。家族の良い思い出にもなりますね。

少し手抜きをすることで、
家族が笑顔になれる工夫もしてみよう。

指示待ちっ子が育つ生活スタイル

コ食が中心の食事をする

「コ食」という言葉をご存じでしょうか？　コ食とは、最近の子どもたちの食事の特徴を「コ」を使って表現したものです。

「コ食」は、心身へのマイナス面や社会性などに影響するとして、様々な団体が注意を呼びかけています。

どんな「コ食」があるのか、主なもの６つを紹介します。

（1）孤食：子どもが1人ぼっちで食べる
（2）個食：家族がそれぞれ自分の好きな時間に好きな場所で好きなものを食べる
（3）固食：固定したものしか食べない。好きなものだけ食べる
（4）粉食：麺類やパン、お好み焼きなど、小麦粉などを使った柔らかいものを食べる
（5）濃食：加工食品や味付けの濃いものばかり食べる
（6）戸食：外食ばかりの食事

「コ食」全体をとおして、コミュニケーション不足、栄養の偏り、成長への影響、食事マナー、成人病、咀嚼力の低下などが懸念されています。

家庭の状況は様々だとは思いますが、食事の場における体験は、子どもたちの社会性や協調性にも影響します。改善できることから改善したいものです。

「コ食」を続けると、様々な弊害が起こる。

キョウ食が中心の食事をする

「コ食」に対し、**「キョウ食（共食）」**という言葉があります。文字どおり、**「誰かと一緒に食事をすること」**を言います。
「共食」については、様々な研究がされており、農林水産省のリーフレットにも、以下のようなメリットが書かれています。

（1）朝の疲労感や体の不調がなく、健康に関する自己評価が高い
（2）心の健康状態・ストレスの少なさを感じる割合が高い
（3）バランスが良い食事がとれる
（4）規則正しい生活を送れる（早寝、早起きができている）

さらに、**「教食」**もおすすめです。**食事を通して、感謝の気持ち、マナー、思いやりを教えます。**たとえば、祖父母にあった味付けや柔らかさに配慮する思いやりを、食事をする中で学びます。

養護教諭時代、子どもたちが野菜を栽培していました。そして、それを自分たちで調理し、先生にもお裾分けをしました。こうした体験を通して、野菜嫌いの子どもも、野菜をおいしそうに食べるようになりました。
食事の思い出というのは、人生の中で思い出すことも多い場面です。人生における「キョウ食」を大事にしていくことで、子どもたちの心は豊かに育っていくのではないでしょうか？

「キョウ食」を通じて、
感謝やマナー、思いやりの心を育もう。

ワークシート5

できる、やるための理由を発見する

うまくいかなかったことで落ち込んでいる子どもが
小さな1歩を踏み出せるよう、親が支援するためのワークシートです。

①まずは、子どもの話に耳を傾け、気持ちを受け止める。

⬇

②できなかったことに対し、やるかやらないかの意思を確認する。

⬇

③やるという意思を確認したら、達成のためのアイディアを子どもに答えてもらう。大人は、意見を言わず、どんなアイディアも、「なるほど」と、受け容れる。

⬇

④最初の小さい 1 歩を決める。

⬇

⑤励ましのメッセージを伝える。

⬇

⑥決めた行動がうまくいかなかったときは、さらにその体験を生かして次の行動のための話し合いをする。

第7章

豊かなアナログコミュニケーションが、デジタル時代を生きる力の土台となる

デジタル・スマホ世代の子どもたちの人間関係

■子どもたちのネットトラブルが増加

1990年代以降に生まれた世代を、「デジタルネイティブ世代」と呼びます。今の若い世代のお母さんは、まさにこの「デジタルネイティブ」世代ではないでしょうか？

小学校でもパソコンが整備され始め、ローマ字入力やワードで文章を書くことを学んできた世代です。

また、最近では、生まれたときからスマホがある世代を、「スマホネイティブ世代」と呼んでいます。

生まれたときからスマホがある子どもたちは、アナログのコミュニケーションを十分に体験しないまま、デジタルのコミュニケーションを先に体験してしまいます。

こうした状況の中で、スマホを介したトラブルが、頻発しています。

子どもたちのネットトラブルが増加し、「ネットマナーやデジタルコミュニケーションについて話してほしい」などの講演依頼も多くなっています。

私は、子どもたちのネットトラブルの根底に、コミュニケーションに関する誤解があるように感じています。

それは、「LINEもメールも文字を書いているのだから、言葉のように消えてしまうことはない。だから、話をするより、正確に伝わる」と考えている点です。「言葉や文字のやり取り＝コミュニケーション」だと思っているのです。

■五感をフルに使うのが本当のコミュニケーション

そこで、児童・生徒向けの講演では、こんな説明をします。

「あなたのスマホに〈今日も元気だよ〉と、友達からメッセージが来ました。こんなメッセージが来ると、ああ、元気なんだ！と思いますよね。
でも、このメッセージを書いたとき、友達の状況がこんな感じだったらどうでしょうか？」

こう問いかけ、暗い部屋の隅で悲しそうな顔をして佇んでいる男の子のイラストを見せます。

「文字だけでは、わからないことがたくさんありますね。悲しそうな顔は、画面では見えないので、書いてある言葉で解釈するしかありません。
でも目の前に、友達がいて、〈僕は元気だよ〉と言ったとしても、声に力がなかったり、悲しそうな眼をしていたら、本当は元気がないんだと理解することができます」

言葉のやり取りだけがコミュニケーションではありません。本音は常に「非言語」に現れるのです。

本来、コミュニケーションとは、表情、息づかい、トーン、口調、姿勢などの非言語の情報によって成り立つものなのです。

つまり、言葉とは、コミュニケーションのほんの一部に過ぎません。その言葉のやり取りの中で、相手の本音を感じ取ることなく、傷つけたり傷つけ合ったりしているのです。

より良いコミュニケーションのために生まれた道具が、人の心を傷つける凶器になってしまっているのはとても残念なことです。

■「面倒くさい」ことを回避できる「デジタルコミュニケーション」

子どもたちは、便利な時代に生まれ、デジタル時代の恩恵を受ける反面、五感をフルに使った大切なアナログ体験の機会を失ってしまいました。

養護教諭時代、何人もの女子に「つきあってください」とメールで告白をし、女子から大バッシングにあった男子がいました。本来なら、ドキドキしながらも、勇気を振り絞り誠意を込めて伝える大切な「告白」体験を、メールで多人数に一斉に送ってしまうんだとがっかりしていました。
すると、ある子がこの出来事について、次のように話していて、なるほどなぁと思ったのです。

「私、メールを使って告白した子の気持ち、なんとなくわかるよ。だって、断られたときのダメージが少なくなるもん。私なんて、教室で友だちと普通に話をしていても、相手のちょっとした表情の変化が怖いなって感じることがあるもん」

携帯電話やスマホがなかった時代では、相手に面と向かって、気持ちを打ち明けたり、相手と議論したり、謝罪をしたりすることが当たり前でした。
恥ずかしいとか、苦しいとか、心がつぶれそうになりそうと感じながら相手と正面から関わるしかありませんでした。
そうした体験がないまま、デジタルコミュニケーションに頼ることに、危険を感じるのは私だけでしょうか。

子どもたちの中には、目の前の相手とリアルに関わり合うことに恐怖を感じている子も見受けられます。そして、あの小さなスマホ画面のやりとりの中で、「受け容れてほしい」とお互いに求め合っています。
この現状が、現代人の人間関係の特徴である「100人と繋がっていても孤独」を表しているように思います。

■家庭では、便利によって失ったマナーを取り戻す工夫が必要

近年、「電話を取れない若手社員がいる」と聞きました。学生時代はスマホでの通話が当たり前で、相手が誰かわかっている関係でのやり取りがほとんどでした。
しかし、会社の電話では、相手が誰だかわからないので、どうしていいのかわからないのだそうです。

固定電話の時代は、電話マナーも家庭で教えていました。
「〇〇と言います。夜分に失礼いたします。△△さんは、いらっしゃいますか?」などの電話の受け答えの方法は、家庭の教育のひとつとして、当たり前のようにされていました。

しかし、携帯電話やSNSの普及により、個人から個人へ直接つ

ながるようになり、こうしたマナーを学ぶ機会はなくなってしまいました。

私も仕事上、毎日のようにメールを受信したり送信したりしています。そのメールの中にも、案件がない、自分の名前を名乗らず、いきなり用件だけ書いてくる、状況だけ書いてそれをどうしたいのかという肝心な部分が抜けている人もいます。とても残念に思います。

こうした状況の中、本来なら家庭で教えるべきマナーの部分まで、企業が社員教育として行っています。今後は、ますますデジタルツール（パソコン、スマホなど）が発展します。

デジタルツールとのつきあい方が家庭での教育力の一つとして問われる時代となります。大人が教えるばかりではなく、子どもと情報を共有し、一緒に学び、一緒に取り組んでいくことが必要となってきます。

親のネット習慣は、子どもの「新しい学力」に影響する

■2020年は、教育の大改革の年

2020年からの新しい学習指導要領は、これまでの「知識偏重」から「問題解決力」「自発的な思考力」を重視した学力観へ大きく変化したことが特徴です。つまり、「点数を取るための教育」ではなくなるのです。

新しい学力観では、「自分の力で考え、行動する能力」が学力の土台として注目されます。この能力は、学校教育だけで培われるものではなく「家庭での関わり方・親のあり方」も大きく影響します。

今回の教育改革では、初めて「情報活用能力」が学習指導要領で規定されました。

小学校でプログラミング教育が始まることを耳にすると、他の子に遅れないようにと、プログラミング教室などに行かせる方もいらっしゃるようです。それもまた、良いと思いますが、ここで押さえておくべきポイントがあります。

それは、「情報活用能力」とは、単にパソコンやスマホの操作やアプリを使えること、プログラミングができる、できないということではない、ということです。端末の機能を使いこなしたり、アプリケーションの使い方をマスターしたり、プログラミングができるようになることは、情報活用能力の一面にすぎないのだと

いうことを理解していただきたいのです。

ここを理解しておかないと、これまでと同じ「点数主義」になってしまいます。

■コロナ禍で試された大人の情報活用能力、情報モラル

それでは、「情報活用能力向上」の目的とはなんでしょうか？

今回の教育改革で「情報活用能力」が取り上げられた目的は、**情報を活用する手段（情報機器の使い方やプログラミング学習）を通して、「主体的に学ぶ力」「思考力」「情報モラル」「情報セキュリティ」「情報を選択する力」「情報を活用する力」などを育てていく**ことです。

これらの能力の向上には、家庭での情報リテラシー（情報を読み解き活用する力）が大きく影響します。

子どもたちの「情報活用能力」の最初のモデルとなるのは、親のネットの使い方です。子どもたちがどんなにパソコンスキルやプログラミングのスキルを身に着けたとしても、情報に対するモラルを伴った行動や個人情報等に対する意識が育っていなければ、自分だけでなく、他人も傷つけてしまうことになります。

まずは、親自身が、「情報モラル」「情報を選択し、思考し、活用する力」を身に着け、子どもの手本となる必要があります。

コロナ禍においては、まさに、「情報とのつきあい方」が試されているように思います。あふれる情報について、深く思考することなく、情報に振り回される大人の姿が報道されていました。

情報の一部だけで、物事を判断し、特定の商品がスーパーや薬

局で品切れとなり、本当にそれを必要とする人に行き渡らないということもありました。
また、デマや個人情報の流出などのモラルを疑うような事件や、ネットでの誹謗中傷による不幸な事件もたくさん起きました。こうした事件を見ると、私たち大人のネットモラルの低さが露呈していたように感じます。

その一方で、コロナ禍をきっかけに、インターネットを活用した新しいコミュニケーションの方法や仕事スタイルの構築など、新しい工夫も、多くの人の知恵から生まれています。

情報というツールを、凶器のように活用するのか、社会に役立つ活用をするのかという二極化も始まっているように思います。
未来を担う子どもたちには、ぜひ、社会に役立つツールとして活用する能力を高めてほしいものです。

子どもにスマホを持たせる前にすること

■驚くような親の事例もある

最近では、学校現場からも、信じられないような事例が報告されています。

（１）子どもが学校から帰っても、親がネットに夢中になっていて、お帰りも言わない
（２）親が深夜までネットを使い、昼間に寝ているため、学校からの電話に出ない
（３）ネットトラブルがあると対応は学校に丸投げし、家庭での使い方を変えようとしない
（４）個人面談の際に、スマホをいじっている
（５）匿名で、特定の子どもの悪口をSNSに書き込む

脳科学的に言うと、ゲームは脳のドーパミン（快楽物質）を次々に出すようにつくられています。脳がこの快感を覚え、やり続けると依存症になり、前頭前野の機能が落ちてきます。そして、ついには、自分の衝動を抑えきれなくなるのです。

SNSでも、自分の投稿に「イイネ！」がつくことで、承認されたように感じ、もっと良い投稿をしようと時を忘れてしまう人もいます。現実生活で満たされない想いを、ネットに求めているのかもしれません。

このような事例は一部のことですが、ネットを検索すると、こういう相談事例もたくさんあるようです。

■親子で学ぶ講演会や研修会に参加してみる

子どもたちの情報モラル、情報選択力を育てるためには、まずは大人自身が、自分たちのまわりの情報をきちんと選択し、思考し、判断することが必要です。私自身も、ネット関係の講演をしていますが、親の立場から様々な不安の声が上がってきます。保護者の方の心配は尽きないようです。

「今、連絡用にスマホを持たせていますが、ネットいじめも心配です」などの声も多く聞かれます。親として「ネットいじめに遭わないか」「ネットを介したトラブルに遭わないか」と、被害者の立場になることを心配するのは当然のことだと思います。

しかし、ネットの世界は、誰でも被害者にも加害者にもなる可能性が高いのです。

子どものネットトラブルが社会問題となり、学校はもちろん携帯会社や警察や民間団体が主催するインターネット教室も盛んに開催されるようになりました。また、ネット上にも参考になる資料がたくさんあります。

こうした教室には、子どもにスマホを与える前に、親子で参加することをおすすめします。

スマホを使うルールも、親が一方的に決めてしまうのではなく、学んだ内容をもとに親子でどのように使うのかを決めると良いと思います。

最近は、ネットに関しては子どものほうが格段に知識があり、親の知識不足や親自身のネットマナーのまずさも課題となって、親のネット使用に特化した講演会も増えているようです。

スマホのルールは話し合って決める

子どもにスマホを持たせるかどうか、何歳から持たせるかは、親にとってはさらに悩むところです。

理由はそれぞれですし、家庭の状況も様々ですので、一概には言えません。しかし、買い与えるときに、なにもルールを決めていなかったために、子どもがスマホを持ってから起きるトラブルにアタフタしたりする保護者の方もいます。

子どもがスマホを欲しいと言い出したら、次のことをぜひ考えさせていただきたいのです。

（1）なぜ欲しいのか
（2）主に何に使おうと思っているのか
（3）スマホを持つことのメリットは何か
（4）スマホを持つことで起きるデメリットは何か
（5）気持ち良く使うために、どんなルールが必要か
（6）ルールが守れなかったとき、どうするか

養護教諭時代、小学校6年生の児童が総合的な学習で「携帯電話のルールブック」を、自分たちで話し合い、冊子にまとめ、地域の学校などに配布したことがありました。

こうしたルールも大人が決めてしまうのではなく、子ども自身に考えさせ、それをもとに家族で話し合いましょう。たとえ低年齢でも、その年齢なりにちゃんと考えることができます。

うわさ話ばかりの「ママ友 LINE グループ」は、さっさと抜ける

あるPTA講演会が終わった後、ある参加者の方が、「みんなの前では言えなかったので」と、こんな質問をされました。

「私は同級生のママさんたちのLINE グループに参加しているのですが、そこで飛び交っている情報にちょっと戸惑うことがあります。

人のうわさ話や、今日は〇〇さんが早退したらしいとか、□□さんの旦那さん、病気で休職しているらしいよとか……。

情報交換というより、誰かの批判や個人情報だったりで、怖いと感じています。できれば、抜けたいのです」

そこで、「ご自分でそう思われるのであれば、それでも良いのではないでしょうか」とお答えしました。

児童生徒向けの講演では、「自分のグループが人の悪口でつながっているなら、そんなグループからは距離を置いたほうがいい」と伝えています。

ママ友グループでも全く同じです。建設的な情報のやり取りができないばかりか、精神的なストレスになるようでしたら、さっさと抜けるのも良いのではないでしょうか？

子どもたちのネットトラブルばかりが取りざたされることが多いのですが、まずは、大人自身が使い方を考えることも大切です。

情報を自分から取りに行く姿勢を

今、子育てで悩むお母さん同士で「自分が困ったとき、どんなところから情報を得たら良いのか」ということが話題に上ると、ある受講生さんから聞きました。ちょっとしたことだから、わざわざカウンセリングを受けるほどの大げさなことでもないし、かといってストレスはたまるのだと言うことでした。

その受講生さんは、ママ友からいろいろな相談を受けるそうですが、ちょっとアドバイスをすると、「その情報はどこで仕入れてくるの？」と聞かれるそうです。

そして、それについて、こんなことを言っていました。

「自分でいろいろアンテナを立てておけば、ちゃんと見つかるよと話すのですが、面倒くさいから、あなたが知っていることを、その都度話してほしいと言われて驚きました」

今、ネット上には、様々な情報が数多くあります。最近ではInstagramやClubhouseなど、無料で情報を提供するものも増えました。また、地域情報紙、自治体の広報紙にも、有益な情報が掲載されています。欲しい情報を明確にして、アンテナを高くしていれば、脳は必ず必要な情報を探し出します。

誰かに聞くということもひとつの方法ですが、自分から主体的に情報を探しに行くということも、情報とのつきあい方という点で必要なことではないでしょうか？

情報拡散は「責任が負えるかどうか」を冷静に考える

ネット上のさまざまな情報に対して、深く考えずにほかの人に拡散してしまうと、思わぬトラブルに巻き込まれることがあります。発信してしまったら、そこには自分の責任が発生します。

ネットやメディアの情報は、一部が切り取られたものや誰かの解釈が混じっているものもあります。学校でも、悪気もなく発信したことがトラブルになることもあります。

ある受講生さんの息子さんが通う学校で、インフルエンザが流行しました。中学受験を控えたお子さんを持つ保護者の方もおり、心配が広がっていました。

すると、ママ友LINEグループに、次のような投稿があったそうです。

「今回のインフルエンザは、〇年〇組の××さんが発生源！　うちの子は受験前なのに、マジムカつく！」

ママ友に愚痴を聞いてもらうことは否定しませんが、週刊誌のゴシップのような情報を、LINEグループに流すのはあまり気持ちの良いものではありません。

たとえ、悪意はなくても、個人的な情報を許可もなく流してしまって本当に良いのかどうか、何かあったときに責任を負えるのかをしっかりと考える必要はあります。なにより、子どものお手本になるかどうかを考えたいですね。

SNSでの歪んだ「承認欲求」を手放す

子どもたちは、SNS上の反応に一喜一憂し、そこでの評価が自分の価値であると思い込んでしまう傾向があります。

ガラケーの時代でも、「私、メル友が100人になった」と自慢している子がいました。あなたの価値は、そんなところにあるのではないのでは？　と思うのですが、満たされていない強烈な承認欲求を持っている子は、少なからずいたように思います。

最近では、スマホが普及し、InstagramやTwitterなどのSNSが多くあり、ネット上で自分の承認欲求を満たそうとする子は、ガラケー時代とは比べ物にならないほど増えています。

私は、児童・生徒向けの講演で、次のように話しています。

「あなたの価値は、友だちの数やイイネの数で決まるのですか？　他人があなたの価値を決めるのですか？　誰かがOKと言ったら価値がある、NOと言ったら価値がないということ？　あなたの価値は1日のうちでそんなに上がったり下がったりするのっておかしくないかな？　自分の価値は自分で決めていいんだよ」

最近は親同士でも、SNSでママ友の投稿が気になったり、無意識に競ったりすることも起きています。承認欲求はあって当然ですが、**「まわりの反応や評価で自分の価値を測る」思考を、まずは大人が手放していく必要があります。**

周囲が認めてくれなくても、自分がどう生きていくのかが決まっていれば、それをやるだけなのです。その姿を、子どもに見せることのほうが、ずっと教育的な価値があると思うのです。

「一緒にいても孤独な子」にしてしまう親のネットの使い方

保健室に来室した子がこんな話をしたそうです。

「お母さんは、ネットにはまっていて、ただいまと言っても、返事もしてくれない。夕食が終わっても、すぐにスマホを見て、会話もない。試験前でイライラしているのに、なんだか悲しい」

先ほどの例とは、状況は違いますが、ファミリーレストランでも同じような光景を見かけることがあります。

家族４人で来店し、席に着いたとたん、全員がスマホやゲーム機を無言のまま触り始めたのです。食べている間も、会話らしい会話もなく、ずっとスマホを触っていました。目の前に大切な家族がいるのに、心はネットの向こう側にあるのです。

また、「子どもが小さいうちは育児に専念する」お母さんのなかにも、子どもをそばに置きながらも、常にスマホ画面を見ている方もいます。ママ友とのLINEやSNS、育児情報を見ているのかもしれません。

このとき、子どもは孤独です。ママの体はここにあるのに、心が一緒にいないからです。赤ちゃんや幼児は、五感をすべて使って、自分の状況もそばにいる人の心も感じ取っています。そばにいるからOKではないのです。

「『一緒にいる』とは、肉体が同じ場所にいることではなく、肉体も心もともにいる」ことではないでしょうか？

画面の向こうの人より、目の前の人を大切にする

子どもが孤独を感じるからといって「親はネットを使ってはいけない」と言っているわけではありません。

特に最近は、頑張りすぎて一人で抱えきれなくなるお母さんも多く、SNSを通して、子育てをされている方と共感し合ったり、情報交換したりすることは、横のつながりもできますし、自分の悩みをはき出せることもあり、とても有益だと思います。

気をつけたいのは、だらだらとした使い方をけじめなく続けてしまうことです。

大切なのは、「優先順位を決め、ひとつのことに集中する」ことです。スマホを見る時間と子どもと向き合う時間は、切り分ける必要があります。
子どもと遊ぶ時間は、それに集中する、ご飯をつくるときは、それに集中する、SNSをやる時間はしっかり楽しむ、などのメリハリを持つことで、充実した１日を過ごすことができます。

しかし、この時間の切り分けを邪魔するのが、スマホの通知音です。何かに集中していても、通知音を耳にすると、反応的にスマホを手に取り、そのままネット検索をしたり、InstagramやTwitterなどの投稿を見てしまい、気づいたら１時間たっていたという話をよく耳にします。このパターンにはまるのを防ぐには、「今はこれをする時間」と決めたときは、通知音をオフにしてお

くなどの対策も必要です。

そうでなければ、道具が「主」で自分自身が「従」になってしまいます。子どもとのかけがえのない瞬間を中断してまで、SNSを見る価値は本当にあるのか？　を冷静に考えていく必要があります。

これからの時代、切っても切り離せないネットは、使う側が主体性を持ってこそ価値が高まります。

何度も言いますが、ネットを使いこなすとは、高度な機能やアプリを使いこなすということではありません。

大人自身が主体性を持って、上手な距離感を保つことです。

大人が、主体的に情報との距離を保ち、自分の日常に上手に取り入れている姿が、子どものネット使用のお手本となります。ぜひ、意識していただきたいことだと思います。

あとがき

養護教諭時代、保健指導で、どんなに正しい知識を教え込んでも、子どもたちの行動変容につながることはありませんでした。

悩んだあげく、先輩教師に相談しました。そしてわかったことは、「こうでなければならない」「ちゃんとやらなきゃ」という想いで指導すると、子どもが受け身になり、知識としてしか受け取らないということでした。

当たり前と言えば当たり前ですが、若い頃の私は、とにかく「正しいことを伝えなくては」という想いにとらわれていたのです。そして、それが強ければ強いほど、子どもは行動を変えるどころか、私の話が始まると心のシャッターが下りていたのです。

今は、この頃の自分を冷静に見ることができます。自分が持っている「こうあるべき」が発動してしまうと、子どもの目線に降りることもできなくなるのです。その結果、子どもの内面がどうなっているのかを推し量ることすらできず、自分の世界を押しつけていたのです。

こんな状態ですから、学校においても、自分の子育てにおいてもたくさんの失敗をしてきました。当時の子どもたちには、本当に申し訳ないと思っています。

私自身、教育現場で、たくさんの子どもたちと関わり、経験を積んでいく中で、自分への問いも変わってきました。

「何をどのように変えていけば、子どもたちが、自発的に授業に取り組み、自分のこととして行動を変容させていくのか」

この問いは、脳科学的にも有効でした。

おかげで今は、関わる相手が心のシャッターを下ろす瞬間がわかりますし、相手の心に届いたかどうかの観察力も養われてきました。
私のこうした変化は、自分が無意識にやっていた習慣に気づき、その都度受け容れて、新しい習慣にシフトしてきたからだと思っています。

短期間で習得できた習慣もありますが、未だに昔の習慣が顔を出して、しまった！　と思うことがあります。
ですので、この本を手にとったあなたも、今まで慣れ親しんだ習慣を即座に変えなきゃ！　と思う必要もありませんし、なかなか変えることができない自分を責める必要はないのです。
日本のお母さんは、本当にまじめすぎるくらいまじめで、わかっているのにできない自分にダメ出ししてしまう傾向が強いように思います。

私は、講演や講座の最後に、次のように伝えます。
「今後、みなさんが日常の中でお子さんと関わるときに『ああ、また、いつものやり方でやってしまった』と後から気づき後悔することがあるかもしれません。
または『何で学んだことができないんだ』と、自分に対して『なんでなんで攻撃』をしたり、『学んだことができない私はダメな人間』と、自分を責める人もいるかもしれません。
でも、それは必要ありません！　だって、『やってしまった』と気づいたことは、すごいことなのですよ。今までは、それすら気づかなかったのですから。だから、そのときには、『これに気づいた自分はすごいぞ！』ってほめてあげてほしいのです」

長年、無意識にやってきたことは、体に染みついています。私自身もそうですが、体に染みついた習慣が変わっていく過程は、時間がかかります。できなかったときもできたときも、すべてＯＫです。

大切なのは、やり続けることです。

簡単に手に入れたものは簡単に崩れていきます。しかし自分が試行錯誤して実践して手に入れたものは、新しい習慣として身につくばかりでなく、それに取り組む「あり方」が、言葉の２万倍の影響力で、お子さんにプラスの影響を与えるのです。

この本を通じてご縁をいただいた方々が、６つの視点からの新しい習慣を楽しみながら取り組んでいただけるとしたら、こんな嬉しいことはありません。

この本を書くに当たり、保健室コーチング、ママン・コーチングの受講生には、様々な生の声をいただき、参考とさせていただきました。また、企画の段階から丁寧にご指導いただいた芝蘭友先生、遠藤励起先生には、「書籍のメッセージとは何か」という大切なことを教えていただきました。

この本を、世に送り出して下さったすべての方に心より感謝いたします。

桑原朱美

桑原朱美（くわはら　あけみ）
島根県生まれ。愛知教育大学教育学部卒業。授業エスケープ、自転車で廊下を走る、対教師暴力が続く教育困難校等の保健室の先生として25年間勤務。独立後、脳科学理論に基づき、過酷な現場から生みだされた誰でも安全に使えるオリジナル教材は、全国1000の学校現場で大好評となっている。また、2015年に出版した『保健室コーチングに学ぶ養護教諭の現場力』（明治図書出版）はニッチな分野にもかかわらず7刷と版を重ねている。
日本教育新聞をはじめ専門誌への執筆は延べ25誌。東海テレビ、中京テレビ、日本テレビ、TBS「ジョブチューン」にも出演。
昨今は、子供たちの自死や不登校の予防に力を注ぎ、未来に希望をもって生きる力を伝える「友だちコーチングの出前授業」は、教育現場で好評を博す。家庭教育では、「ママのためのオンラインサロン」を開設。ウィズコロナ時代の子育てを支援する取り組みにも力を注いでいる。
主な著書に『保健室から見える親が知らない子どもたち』（青春出版社）など。

子どもは「親の心配」を
ランドセルに入れて登校しています
「指示待ちっ子」が「自分から動く子」になる親の習慣

2021年5月20日　第1版　第1刷発行

著　者　桑原朱美
発行所　WAVE出版
〒102-0074　東京都千代田区九段南3-9-12
TEL 03-3261-3713　FAX 03-3261-3823
振替 00100-7-366376
E-mail: info@wave-publishers.co.jp
https://www.wave-publishers.co.jp

印刷・製本　萩原印刷

NDC599　183p　19cm　ISBN978-4-86621-352-1